La memoria

707

Andrea Camilleri

Le pecore e il pastore

Sellerio editore
Palermo

2007 © *Sellerio editore via Siracusa 50 Palermo*
e-mail: info@sellerio.it
www.sellerio.it

Camilleri, Andrea <1925>

Le pecore e il pastore / Andrea Camilleri. Palermo : Sellerio, 2007.
(La memoria ; 707)
EAN 978-88-389-2203-9
853.914 CDD-21   SBN Pal0206785

CIP - *Biblioteca centrale della Regione siciliana «Alberto Bombace»*

Le pecore e il pastore

1
I luoghi

L'eremo

Il bosco che c'era tra Santo Stefano e Cammarata, a quasi mille metri d'altizza, era un tempo accussì selvaggio et aspro e forte che la luce del sole non ce la faciva a passare attraverso il fitto del fogliame e chi ci si avventurava non arrinisciva più a distinguere se era jorno o se era notte. I primi arabi conquistatori lo chiamarono koschin, che veni a dire loco oscuro. Po', a picca a picca, il nome si cangiò in Quisquina.

La picciotta palermitana Rosalia Sinibaldi, nata a Palermo nel 1130, bellissima e ricchissima, figlia del duca Sinibaldo e di Giscarda cugina di re Ruggero II, vuoi per non maritarsi col principe Baldovino, futuro re di Gerusalemme, come era desiderio del re Guglielmo II di Sicilia, del quale era nipote (ah! gli intrichi delle famiglie siciliane, tanto della nobiltà quanto del popolino!), vuoi perché la società nella quale viveva secondo lei non era cosa, essendo la vita di corte troppo peccaminosa, troppo dedita ai piaceri materiali, all'accumulo della ricchezza e all'esibizione dello sfarzo (lo stesso senso di rifiuto che avrebbe provato, qualche decina d'anni appresso, un picciotto di nome Francesco), addecise, verso il 1150, appena vintina, di scapparsene dalla città natale e andarsene a campare in solitudine e preghiera.

Dopo qualche peregrinazione, andò a intanarsi in una specie di cunicolo della Quisquina, un cunicolo che dava accesso ad altri cunicoli, ma accussì ammucciato tra rocce e troffe d'erba serbaggia che a momenti manco i cani sarebbero arrinisciuti a trovarlo.

Ci campò per dodici anni. Il posto ideale per preghiere, contemplazioni e macerazioni senza aviri un'anima criata torno torno.

Un'iscrizione su una parete tanticchia prima del basso ingresso alla grotta recita: *Ego Rosalia Sinibaldi Quisquine et Rosarum domini filia Amore Domini mei Iesu Cristi in hoc antro habitari decrevi*.

Una piccola spiegazione per capire l'iscrizione: il patre di Rosalia, Sinibaldo, era un feudatario, signore della Quisquina e di un paìsi chiamato Rose.

Anni appresso Rosalia Sinibaldi si trasferì in una grotta del monte Pellegrino che sovrasta Palermo (la sovrasta tanto che, al tempo delle guerre puniche, vi si installò Amilcare Barca e ogni tanto calava sulla città coi suoi òmini massacrando i Romani che l'avevano occupata). In questa grotta campò in completa solitudine fino alla sua morte avvenuta nel 1166. E tutti si scordarono di lei. Per quasi cinquecento anni.

Nel 1624 a Palermo scoppiò una spaventosa pestilenza alla quale pareva non esserci scampo. Un tale, che il 15 luglio di quell'anno era andato a caccia sul monte Pellegrino, non certo per divertimento ma per procacciarsi tanticchia di mangiare, dato che le cose da mangiare fagliavano, si vide comparire davanti una picciotta, Rosalia, la quale, indicatagli una grotta, gli disse che se recuperavano le sue ossa che si trovavano là dentro e le portavano in processione attraverso le strate di Palermo, la peste sarebbe stata vinta di sicuro. Il cacciatore scinnì a rotta di collo in città e riferì alle autorità, le quali erano pronte a vinnirisi macari l'anima pur di fare finire la morìa. La grotta venne localizzata, ma le ossa erano accussì incastrate nella roccia che dovettero portarsele via con tutto il masso che le conteneva. Fatta la sullenne processione, in poco tempo la peste finì.

Proclamata patrona di Palermo, santa Rosalia, la «Santuzza», conobbe una devozione popolare immensa, che continua intatta ai giorni nostri. Quasi in concomitanza con la scoperta dei suoi resti, due muratori si misero a circare la grotta della Quisquina che la santa aveva scelto come suo primo rifugio e finalmente l'attrovarono. Fu cosa naturale allora che la grotta addivintasse un luogo di pellegrinaggio e di culto e allato vi sorgesse una cappella, continua meta di divoti.

Nel 1690 un commerciante riccone di Genova, Francesco Scassi (o Scasso), pigliato da una botta di misticismo, si trasferì alla Quisquina con tre compagni. Fabbricò un capace convento e una chiesa bastevolmente grande, macari se il novo proprietario del feudo, Gaetano Ventimiglia conte di Collesano, se ne attribuì il merito e lo volle testimoniato da una lapide che fece murare nella chiesa.

Scassi stabilì durissime regole d'ammissione per chi voleva aggregarsi all'eremitaggio.

Perché di questo in sostanza si trattava, di un eremitaggio laico, i cui partecipanti non erano dei frati veri e propri, anche se così si facevano chiamare, indossavano il saio ma non appartenevano a nessun ordine e non erano sottoposti a nessuna regola di vita monastica.

E senza regole rimasero fino allo scioglimento malgrado che alcuni vescovi (Ramirez, Lo Jacono, Peruzzo) spesso erano intervenuti con pazienza paterna e con qualche durezza sempre paterna, per far loro rispettare un minimo di regole.

Il noviziato, come l'aveva concepito Scassi, durava un anno e le prove erano accussì severe, feroci quasi, che la maggior parte dei candidati, se non erano aiutati da una buona dose d'amore per il patimento della carne a favore dell'elevazione dello spirito, lasciava perdere dopo qualche mese.

Scassi stabilì macari che il corpo di un confratello morto non doveva essere seppellito, ma trattato col procedimento dei Cappuccini palermitani e quindi esposto nell'apposita cripta nella quale si trasiva attraverso una botola posta a metà chiesa.

Più il catafero dell'imbarsamato addivintava laido a taliarsi e più i confratelli se ne compiacevano: quella era la permanente rappresentazione della miseria terrena dell'uomo.

Il procedimento essiccatorio consisteva, secondo quanto scrive Salvatore Indelicato, nel mettere il cadavere «su una griglia di tubi in terracotta dentro una camera chiusa ermeticamente; sette-otto mesi dopo veniva trattato con un infuso d'aceto ed erbe aromatiche ed infine esposto al sole per completare l'essiccamento».

La fama di quell'eremo, della sua durezza di vita, della sua aura mistica, in breve si diffuse macari fora dall'isola e tanti s'appresentarono per esservi accolti, vuoi per sincera vocazione vuoi perché avevano conti da regolare con la giustizia. O se vi piace chiossà, con la propria coscienza.

Come fu il caso di Bartolomeo Pii, generale spagnolo di stanza a Palermo, che, avendo ammazzato a un innocente, si dimise e si ritirò nel romitorio della Quisquina, col nome di fra Vincenzo.

Comunque, sempre meglio essere eremiti liberi che pirsone incarzarate. Lì, la curiosità non era di casa, domande nisciuno ne rivolgeva a nisciuno, ognuno si faceva i fatti sò, chi veniva ammesso si sceglieva un nome da frate e poteva scordarsi del suo nome vero.

D'altra parte ai rappresentanti della legge manco ci passava per l'anticàmmara del ciriveddro di farci una visita arrampicandosi fino a là supra per vedere chi c'era e chi non c'era.

Principi, vescovi, cardinali e nobili di ogni ordine e grado (in Sicilia ne incontravi uno ogni due passi) pigliarono l'abitudine di farci ogni tanto una scappata per ristoro dell'anima e del corpo, tanto lì l'aria era bona, frisca, pulita, e faciva smorcare il pititto.

Macari se da quasi subito, nell'eremo, cominciarono tra i cosiddetti frati invidie, violenze d'ogni genere e furti.

Scrive ancora Indelicato: «Re Ferdinando IV, al termine di un breve soggiorno, avvenuto nel 1807, rimase talmente colpito dall'atmosfera mistica del convento che dispose fosse recapitato agli eremiti, ogni anno, un tonno».

Il tonno, gli eremiti se lo gustarono per poco più di una cinquantina d'anni, poi al posto dei Borboni arrivarono quei miscredenti dei piamontisi e la bella consuetudine ebbe termine.

Naturalmente, all'epoca, l'eremo si era di molto ingrandito e il bosco era stato in parte addomesticato con vialetti e passeggiate. Ora c'erano decine di celle, addirittura una sala di ricevimento, una foresteria. Nel bosco era stata aperta una via che portava alla quercia «grande», dove la Santa non solo andava a pregare ma vi si asciugava macari i capelli.

Le cose principiarono a guastarsi nel 1922 quando l'allora superiore, fra Bernardo, venne trovato letteralmente scannato dentro l'eremo.

Mano assassina venuta da fuori o sanguinosa conclusione di una faida interna? Quasi tutti propendevano per la seconda ipotesi, ma nell'ottobre del 1922 il fascismo avrebbe pigliato il potere in Italia e macari in Sicilia carabinieri e polizia avevano cose più serie alle quali pensare.

Ma comunque quell'omicidio mise in luce di che pasta erano fatti alcuni degli eremiti.

Subito appresso all'omicidio, cominciarono a fagliare i soldi. Non arrivavano più né doviziose eredità né ricche donazioni. L'eremo poteva miseramente resistere solo all'assedio dell'inverno coi suoi muratori, i suoi calzolai, i suoi fabbri, i suoi panettieri, ma essi certo non producevano artigianato da esportazione, si limitavano alle cose che abbastavano alla sopravvivenza.

Nel 1928 la comunità venne sciolta d'autorità.

La conclamata aura di misticismo aveva fatto sì che alcuni eremiti, nel corso dei secoli, erano morti in odore di santità (macari se quest'odore non si tramutò mai in concrete canonizzazioni), ma alla stessa aura molti, troppi frati si sottraevano agevolmente per dedicarsi a occupazioni più mondane come l'abigeato, la grassazione, il furto, la rapina.

Quando arrivò l'ordine di scioglimento, alcuni eremiti non obbedirono all'autorità religiosa e rimasero a presidiare l'eremo. Di cosa vivessero, è abbastanza facile intuirlo.

Il nuovo vescovo di Agrigento, il cinquantaquattrenne Giovanni Battista Peruzzo, insediato nel 1932, tornò qualche anno dopo alla carica contro gli insubordinati eremiti della Quisquina, i quali ormai davano apertamente rifugio a latitanti e a mafiosi, anzi con questi ultimi assai attivamente collaborando.

Peruzzo era un uomo di polso e di ferrea volontà e dopo alterne vicende durate anni riuscì ad avere la meglio, mettendo a capo degli eremiti superstiti due sacerdoti, uno come superiore e l'altro come cappellano. Contro quest'opera di pulizia di Peruzzo non si erano opposti solo alcuni degli eremiti, ma anche qualche commissario prefettizio preposto alla amministrazione dei beni del santuario, timoroso che la curia agrigentina li volesse mettere sotto controllo.

Piemontese della provincia di Alessandria, Peruzzo s'innamorò letteralmente della Quisquina, della sua «tranquilla solitudine», come scrisse all'arciprete di Santo Stefano. Appena poteva prendersi una vacanza, acchianava all'eremo.

Nel 1945 progettò di arrivare alla Quisquina il 15 luglio e trascorrervi uno o due mesi con la sola compagnia di un «fratello passionista» il quale avrebbe provveduto a tutte le necessità del soggiorno del vescovo, reclutando anche un ragazzo che sarebbe andato a fare la spesa quotidiana in paese. Peruzzo non voleva in nessun modo dare disagio, con la sua presenza, al clero di Santo Stefano. Invece un seguito di circostanze fece sì che dovesse anticiparla, la vacanza. E senza la compagnia del passionista, bensì con quella del malandato padre Graceffa che era uno dei preti inviati lì da lui stesso per il buon andamento del romitorio. Quando vi arrivò, nell'eremo c'erano solo due o tre romiti, qualcuno di passaggio, e un uomo che fungeva da cuoco e da cameriere.

Anche la sera del 9 luglio Peruzzo fece la sua solita passiata nel bosco con padre Graceffa, passeggiata necessariamente breve perché il prete, colpito da emiplegia e con un principio di meningite cerebro-spinale, aveva i movimenti molto limitati. La piccola passeggiata in genere terminava in un posto «dove alcuni sassi invitavano a sedere». Macari quella

19

sera i due s'assittarono sopra i sassi. Il vescovo Peruzzo taliò il ralogio. Erano esattamente le 19,45. Avevano camminato per un quarto d'ora. Ora se ne sarebbero stati una mezzorata a godersi la frescura e, in silenzio, «a pensare all'anima», lontani «dal consorzio umano».

Ma almeno tre rappresentanti di quel consorzio stavano appostati a pochi metri di distanza.

Il convento

Chi si occupa della storia dell'illustre famiglia Tomasi (sì, proprio quella alla quale appartiene Giuseppe, l'autore del *Gattopardo*), mentre può sguazzare in tutti i documenti che vuole a partire dalla luminosa epifania gemellare di Carlo e Giulio Tomasi, figli del precocemente defunto Ferdinando (sposatosi a 16 anni e morto a 18 e a sua volta gemello di Mario, che portava lo stesso nome del loro padre), trova grosse difficoltà a ben definire la figura del capostipite, Mario, appunto. La vaghezza delle notizie che lo riguardano lascia perlomeno 'mparpagliati.

Nato a Capua nel 1558, si sa che Mario Tomasi arrivò in Sicilia nel 1585 al seguito del viceré Marcantonio Colonna e dal principe Colonna venne nominato capitano d'armi di Licata. Un incarico buono a guadagnarsi il pane quotidiano e basta. Ma allora come fece a diventare ricco e a fare un ricchissimo matrimonio con una nobile?

Su come Mario Tomasi esercitasse il suo mestiere a Licata, e quale concetto di esso avesse, la tradizione orale, evidentemente fatta di malelingue, al riguardo non può dirsi benevola. Ma ci sarebbe macari qualche rara carta che parlerebbe di un processo a suo carico e forse di una sua destituzione (momentanea). Alcuni sono arrivati a sostenere addirittura che Mario fosse una specie di bounty killer, secondo la definizione, assai posteriore, degli americani del Far West.

Pare infatti che Mario, con una sua squadretta, dava la caccia ai briganti di passo, allora fiorenti nell'isola (ce ne sono tanti ancor oggi, solo che vengono chiamati diversamente), e appena ne agguantava uno, gli tagliava la testa e la metteva sotto sale, o quello che era, per conservarla. Allora certi reati potevano essere esentati dalla punizione se il colpevole consegnava alla giustizia la testa di un brigante. Mario aveva allora escogitato un sistema, come dire, a circuito chiuso: faceva incolpare qualche ricco licatese del primo reato che gli passava per la testa, lo faceva incarzarare e contestualmente gli vendeva a peso d'oro una testa di brigante in salamoia in modo che il carcerato potesse immediatamente riguadagnare la libertà.

Torno a ripetere: non c'è niente di scritto che possa validamente attestare questa singolare attività di Mario Tomasi. E quindi come sia riuscito a maritarsi con una ricchissima ereditiera rimane un mistero.

È accertato però che per un certo periodo di tempo dovette riparare nella natia Capua per ragioni non chiare, forse per abuso di potere. Ma è certo che, quando tornò, si maritò con Francesca Caro e Celestre, erede della baronia di Montechiaro e signora dell'isola di Lampedusa, che allora, dopo essere stata rifugio di pirati, era praticamente disabitata. Ma non del tutto: c'era infatti un eremo che indifferentemente ospitava cristiani e musulmani in pacifica convivenza. Nacque così il detto «eremita di Lampedusa» ad indicare chi sapeva agevolmente tenere il piede in due staffe. E mi viene, coi tempi che corrono, di sperare in una miracolosa proliferazione, a livello mondiale, di eremiti di Lampedusa. Col suo matrimonio, Mario Tomasi entrò a far parte della nobiltà. In un certo senso, come nobile non era più perseguibile, o lo sarebbe stato con notevoli difficoltà, così come oggi accade con alcuni dei nostri deputati eletti in una delle due Camere.

Nel 1637 il ventitreenne Carlo Tomasi, che è nato a Ragusa, compra la *licentia populandi*, cioè il diritto di fondare paesi, e il 3 maggio dello stesso anno pone la prima pietra per la fondazione di Palma di Montechiaro, progettata dall'architetto ragusano Antonio De Marco. Alla cerimonia, oltre al gemello Giulio, assiste lo zio che li ha allevati:

Mario Tomasi e Caro (notare che, noblesse obli-
ge, al proprio cognome ha aggiunto quello della madre), Governatore del Castello di Licata e Capitano del Santo Uffizio.

«Sin dagli esordi Carlo esplicitò di voler fare della città una nuova Gerusalemme, punteggiandola
di luoghi santi, sostenuti da indulgenze, dove gli
abitanti e i visitatori potessero, con la semplice fre-
quenza, acquistare un pezzetto di paradiso. Nella
curia arcivescovile di Agrigento sono conservate le
bolle, i brevi, le licenze papali ottenute, con denaro sonante, dai due gemelli, perché il loro santo progetto potesse realizzarsi» (Cabibbo-Modica).

L'anno seguente Carlo venne nominato Duca di
Palma. Lo zio Mario, che era d'occhio lungo, gli
trovò una zita: la baronessa di Falconeri, Rosalia
Traina, che, oltre a essere ricca di suo, era la nipote prediletta di Francesco Traina, vescovo di Girgenti, omo straricco, avido, e di un'avarizia leg-
gendaria. Tra l'altro si era accattato, per novan-
tamila scudi, due città, Girgenti e Licata (quindi
era il proprietario del paese dove i Tomasi vive-
vano e operavano), dissanguandone gli abitanti
con tasse, balzelli e decime.

Ma, passato appena qualche anno, lo zelo religioso ebbe in Carlo il sopravvento. Abbandonò tutto al fratello, feudo e titolo nobiliare compresi, e
si ritirò prima nel collegio teatino di Palermo e poi

in quello di Roma. Passò il resto della sua vita dedicandosi agli studi teologici.

Il fratello gemello Giulio in quanto a fervore religioso non gli era da meno, tanto che venne soprannominato il «Duca Santo» (un jorno un morto di fami gli s'inginocchiò davanti per parlargli, il duca gli disse d'alzarsi, l'altro non volle e allura macari il duca s'inginocchiò).

A malgrado della fama di santità, Giulio ha i piedi ben saldi in terra. Sa che ci vogliono molti soldi per l'edificazione di quella Gerusalemme terrestre che ha tanti punti d'aggancio con la Jerusalem celeste.

Il papato, tra l'altro, è insaziabile. Per avallare ogni iniziativa vuole sacchi di monete. L'unica è fare un buon matrimonio che porti denaro fresco alle casse della famiglia. E qui interviene lo zio Mario che, avendo preso dal padre alcune belle qualità, ha una grande alzata d'ingegno. Dato che il fratello Carlo gli ha lasciato tutto, titolo e denaro, egli suggerisce a Giulio di considerare compresa nel lascito macari la sua ex zita Rosalia Traina che intanto è restata nubile. Rosalia non farà certamente problemi, oltretutto Giulio non è 'na stampa e 'na figura con l'ex zito Carlo?

Ottenuto il consenso, Mario va a parlare col vescovo il quale accetta la proposta. E, «a decoratione e a contemplatione» del matrimonio dota la nipote di 16.000 scudi d'argento «contati et pisati secondo la prammatica» che furono presi in consegna dall'immancabile zio Mario Tomasi. Oltre alla somma enorme per quel tempo, Rosalia entrò in possesso di alcuni feudi del nonno Fabrizio.

Il lungo e particolareggiato contratto dotale fatto stilare dal vescovo Traina, con le sue condictioni, subcondictioni, a patto che, espressa mentione, e via palettando, è un capolavoro di taccagneria e di scarsa fiducia verso lo sposo.

Dal matrimonio nacquero otto figli: Francesca, Isabella, Ferdinando morto a tre mesi, Antonia, Giuseppe, Rosaria morta a undici mesi, Ferdinando, che venne soprannominato il principe santo, e Alipia. Le femmine si fecero suore, i mascoli (meno uno) diventarono parrini.

Per inciso, a nessun figlio maschio fu messo il nome né del capostipite né dello zio Mario, che pure aveva allevato i due orfani. Una *damnatio memoriae*?

Nel 1667 al Duca venne concesso il titolo di principe di Lampedusa.

«Si fustigava solo, al cospetto del proprio Dio e del proprio feudo, e doveva sembrargli che le gocce del sangue suo andassero a piovere sulle terre per redimerle; nella sua pia esaltazione doveva sembrargli che solo mediante questo battesimo espiatorio esse divenissero realmente sue, sangue del suo sangue, carne della sua carne» (G. Tomasi).

Il figlio primogenito di Giulio, Giuseppe Maria, appena quindicenne rinunziò alla primogenitura e abbracciò, come si è detto, la vita religiosa. Studiò a Palermo e poi si trasferì a Roma. Coltissimo (conosceva il latino, il greco, lo spagnolo, l'ebraico, il siro-caldeo, l'etiopico e l'arabo), studioso delle sacre scritture e della liturgia, fu cardinale per soli sette mesi. Proclamato beato nel 1803, venne fatto santo da Giovanni Paolo II nel 1986.

Sua sorella Isabella, non aveva manco fatto quattordici anni quando addecise di farsi monaca di clausura.

Ma dato che a Palma c'erano chiese a tinchitè, mentre fagliavano i conventi, suo padre, il Duca Santo, fece trasformare il palazzo ducale in un monastero benedettino. Approfittò macari dell'occasione per farsi costruire un palazzo nuovo dove abitare.

Ma la creazione del convento non fu una cosa facile. Il Concilio di Trento aveva posto nuove regole per i conventi femminili, ma era stato piuttosto vago su cosa dovesse intendersi per clausura.

Non era un problema da poco: nei conventi femminili c'erano moltissime donne appartenute alla nobiltà e fatte entrare in clausura con la costrizione per evitare che, maritandosi, potessero esigere parte del patrimonio familiare come dote.

Comunque il Duca Santo e sua moglie si attennero probabilmente a quanto stabilito dal Concilio di Mazara (1584) sull'apertura e chiusura delle porte del convento, sull'uso della ruota, sulle visite di medici e parenti, sulla proibizione di comunicare per lettera con l'esterno senza averne data visione alla madre badessa e via di questo passo.

Per organizzare razionalmente e religiosamente la vita del convento era necessario trovare però una persona adatta. Il Duca si rivolse allora a una Serva di Dio di Ciminna, la quale in un primo tempo accettò, malgrado che l'incarico fosse a titolo gratuito. Senonché, dopo qualche giorno, alla Serva di Dio apparve miracolosamente un angelo che le impedì la partenza per Palma facendola ammalare, almeno così lei scrisse al Duca. Allora il Duca e sua moglie fecero una bella pensata: perché non rivolgersi a suor Antonia Traina, sorella della duchessa, monaca del monastero del Cancelliere di Palermo? Il Duca va dalla cognata, le propone di diventare badessa e istitutrice del nuovo monastero e quella accetta.

La neo badessa si presenta al monastero di Palma con uno straripante carico di frumento, oglio, vino, legumi vari, forme di cacio e caciocavallo, miele, vin cotto, semola, farina, pasta, galline, oche, galli d'India «e alcune cascie piene di biancheria, di salvietii e di tovaglie per il refettorio, e di biancheria più grossa per la cucina». Forse è per tutto questo ben di Dio messo a disposizione della comunità che l'intervento dell'angelo che impedì alla povera Serva di Dio di diventare badessa venne definito «miracoloso»?

Da parte sua, il Duca dotò il convento «ogn'anno in perpetuo» di 200 scudi, di due botti di «musto del migliore», di «salmi dieci di frumento» e di «un cantaro di cascavallo».

Nelle *Costituzioni delle monache benedettine del S. S. Rosario di Palma*, che però sono tarde, viene narrata la manifestazione che segnò l'apertura del convento:

Finita la S. Messa si condussero tutte al parlatorio stando il Vicario davanti alla porta della clausura con le chiavi in mano, le quali consegnò alla Madre istitutrice e stabilì la clausura istituendola Abadessa, e Superiora del Monastero.

Doppo entrarono di mano in mano tutte quelle destinate ad entrarvi, le quali furono: D. Francesca, di età di anni quindici in circa; D. Isabella, d'anni tredici; D. Antonia, d'anni undici, tutte e tre figlie de' Fondatori del Monastero; suor Candida Drago di circa trent'anni; Ninfa Uccello di venti in circa, ambedue palermitane... Geltrude Soldano, d'anni undici della città di Girgenti; v'entrarono altre tre per converse, una professa del cosiddetto Monastero del Cancelliere di Palermo, venuta insieme all'Istitutrice nominata suor Raffaella Terranova; la seconda fu Rosalia Car-

dinale; e la terza Vittoria Gagliano; l'ultima entrò l'istitutrice serrandosi la porta della clausura con giubilo e allegrezza generale e lagrime di devota tenerezza.

Sicuramente giubilava Isabella, anelante di diventare suor Maria Crocifissa della Concezione. Ma siamo certi che le altre due bambine del Duca Santo, Francesca e Antonia, piangevano di «devota tenerezza»? Francesca piglierà il nome di suor Maria Serafica; Isabella lo si è detto; Antonia sarà suor Maria Maddalena. Più tardi vi entrerà anche l'ultimogenita dei Tomasi, Alipia, che prenderà il nome di suor Maria Lanceata.

Ad ogni modo, in quello stesso convento entrò, alla morte del marito Giulio, come terziaria, anche Rosalia Traina che diventerà suor Maria Seppellita.

Tra suore e professe, il convento conterà sempre stabilmente una trentina di religiose.

2
I personaggi

Giovanni Battista Peruzzo

La guerra terminò in Sicilia nel settembre del 1943 con la conquista totale dell'isola da parte degli Alleati.

E subito se ne iniziò un'altra, sanguinosa, tra i contadini senza terra e i grandi proprietari terrieri, i nobili possessori degli sterminati latifondi la gran parte dei quali erano incolti. All'inizio, i contadini chiesero il ripristino delle leggi fasciste del 1933 e 1940 che erano state denominate «assalto al latifondo». Il fascismo, come ognun sa o dovrebbe sapere, muoveva sempre guerra a tutto: all'Etiopia e alle mosche, al grano e alle demoplutocrazie, agli scapoli e ai disfattisti, ma non sempre queste guerre le vinceva.

I grandi proprietari terrieri, di fronte alle richieste dei contadini decisero di fare muro contro muro e furono gli ispiratori, nel 1944, del cosidetto «Blocco Agrario» che poteva contare sull'appoggio più o meno esplicito degli Americani e degli Inglesi.

Una spia evidente del comportamento e delle simpatie degli Alleati consiste non solo nell'appoggio dato al movimento separatista, ma anche e soprattutto nell'avere imposto quali sindaci mafiosi di chiara fama tornati alla ribalta dopo il lungo sonno del periodo fascista.

Il Blocco era nato nel corso di un incontro a Sagana tra esponenti degli agrari, della mafia, del separatismo e del banditismo: vi parteciparono infatti il catanese duca di Carcaci, i palermitani Lucio Tasca e il barone La Motta, il messinese Rosario Cacopardo, Salvatore Manna in rappresentanza della gioventù separatista e il bandito Salvatore Giuliano che rivestiva il grado di colonnello dell'EVIS (Esercito volontario indipendenza siciliana).

I convenuti concordarono un'azione politica e militare a largo raggio che comprendeva, tra l'altro, la disubbidienza a tutte le leggi emanate dallo Stato italiano (tra le quali il richiamo al servizio militare delle classi di leva); il sabotaggio dell'ammasso del grano nei Granai del popolo; il boicottaggio delle leggi Gullo (concessione delle terre incolte ai contadini e nuovi patti di mezzadria); la guerriglia contro i Carabinieri e gli altri Corpi dello Stato; l'uso delle armi e la violenza indiscriminata contro i contadini che occupavano i latifondi; l'eliminazione fisica degli intellettuali e dei politici antiseparatisti e, soprattutto, dei sindacalisti.

Secondo altri storici invece il Blocco domandò l'appoggio della mafia e del banditismo soltanto alla fine del 1945.

Ma allora come la mettiamo con i sindacalisti assassinati prima di quella data? Da chi lo furono?

Il disegno criminale del Blocco, culminato nella strage di Portella delle Ginestre del 1° maggio 1947 (11 morti e 56 feriti), si può concretizzare in queste cifre: 18 sindacalisti comunisti, socialisti e democristiani assassinati e 15 sindaci, segretari di camere del lavoro, uomini politici uccisi o fatti scomparire.

Tra le vittime, era inevitabile che ci fosse un segretario della Federterra. Ma né le forze dell'ordine né i criminali assassini del Blocco riuscirono a fermare il movimento dei contadini che, bandiere rosse in testa, occupavano i feudi e le terre incolte e le cominciavano a dissodare. Fu una vera pagina epica del movimento contadino.

Tutte quelle bandiere rosse davano il malo stare al vescovo di Agrigento, Giovanni Battista Peruzzo, fervente anticomunista per fede e per convinzione, ma non impedivano al suo cuore di battere per i contadini che marciavano dietro a quelle bandiere.

Peruzzo nasce a Molare, provincia di Alessandria, nel 1878. Giovane passionista, viene ordinato sacerdote nel 1901. Gli vengono affidati incarichi di una certa responsabilità che porta a termine brillantemente e, nel 1924, viene consacrato vescovo. È mandato a Mantova (dove era già stato nel 1908) come ausiliare del vescovo novantenne.

Energico, attivissimo, si dedica molto all'incremento e all'organizzazione dell'Azione cattolica.

Nel 1928, in occasione del terzo centenario della canonizzazione di san Luigi Gonzaga, fa arrivare a Mantova migliaia di giovani cattolici da tutta Italia per una serie di festeggiamenti.

È un errore, probabilmente del tutto involontario, perché in quel periodo il fascismo non vedeva di buon occhio l'Azione cattolica, anzi la identificava come una pericolosa concorrente dell'ONB (Opera Nazionale Balilla) e di altre organizzazioni giovanili fasciste.

Il 21 giugno, giorno iniziale delle celebrazioni, gruppi di fascisti mantovani e altri venuti da fuori aggrediscono all'improvviso e con brutale violenza i giovani cattolici. A capeggiare i fascisti è il federale di Mantova, Arrivabene. Numerosi i feriti, ma, fatto assai più grave, qualche giorno dopo viene ucciso a colpi di manganello, da tre fascisti, il presidente della giunta diocesana ed ex capo del Partito popolare.

Il delitto suscita molto clamore e i fascisti, per salvare almeno la faccia, montano un'accusa contro Peruzzo: è stato lui a provocare per primo, sostengono mentendo. Tra l'altro addebitano ai giovani dell'Azione cattolica l'incendio della casa degli avanguardisti, da loro stessi messa a fuoco. Ma Peruzzo, che è quello che è, non ci sta, corre a Roma, si fa ricevere prima dal Papa, poi da Federzoni, ministro dell'interno, e infine da Mussolini al quale espone con fermezza la verità dei fatti e la critica situazione che si è venuta a creare a Mantova. Mussolini lo rassicura e infatti poco dopo Arrivabene viene destituito, il prefetto collocato a riposo, il questore trasferito a Matera, alcuni fascisti arrestati.

Il fascismo però era al potere da sei anni, occupava tutti i gangli vitali della nazione e perciò anche il vescovo non poteva uscire indenne dallo scontro. Dopo qualche mese, infatti, venne tolto dalla circolazione e mandato in una specie di esilio. Andò a fare il vescovo nella minuscola diocesi di Oppido Mamertino, in Calabria.

Non ci risulta che abbia mai protestato. Ma Peruzzo dovette soffrire molto per quella ingiusta punizione.

Doppiamente ingiusta, perché Peruzzo era un dichiarato ammiratore del fascismo.

O almeno, di quella che egli riteneva essere la «rivoluzione» sociale del fascismo, una rivoluzione che, al contrario di quella bolscevica, non era contraria ai valori cattolici riassumibili in due parole: Dio e Famiglia. Peruzzo infatti, durante tutta la sua attività di pastore, non perse mai di vista la *Rerum novarum* e quindi prestò sempre una particolarissima attenzione ai problemi sociali.

Anche, come dire, per fatto personale: figlio di poverissimi contadini, non avrebbe mai potuto diventare vescovo prima del pontificato di Leone XIII il quale abolì la consuetudine di nominare vescovi solo sacerdoti di condizioni agiate.

A metà gennaio del 1932 venne fatto vescovo di Agrigento.

Dal pulpito, parlò con molto favore, addirittura con entusiasmo, delle leggi fasciste che nel 1933 e nel 1940 si proponevano la colonizzazione dei feudi e l'esproprio delle terre incolte.

In realtà, la guerra fascista al feudo doveva ben presto rivelarsi una pura e semplice operazione di facciata. Furono, ad esempio, costruiti dei villaggi rurali che non poterono mai essere abitati dai contadini sia per l'errata collocazione rispetto ai feudi da coltivare sia perché non vennero allacciati alle condutture idriche ed elettriche e non si fecero nemmeno le strade per accedervi. I contadini preferirono continuare a vivere nei loro tuguri, andare ad abitare in uno di quei nuovi villaggi comportava un gran numero di disagi.

Qui non interessa mettere in evidenza l'energica, complessa e risolutiva opera pastorale del vescovo Peruzzo che seppe rinnovare la disastrata diocesi agrigentina.

Una cosa essenziale va detta però di lui: da piemontese, volle profondamente capire la Sicilia e i suoi problemi e fare tutto quello che la sua posizione poteva permettergli per alleviare le sofferenze dei contadini, dei poveri, degli ultimi.

Scrisse di sé:

«Il mio sguardo si è sempre fissato in modo particolare sul nostro popolo che lavora con inauditi sacrifici, che tanto soffre e spesso attende invano una mano amica che lo sollevi dalla sua squallida povertà. Ecco l'oggetto principale delle mie preoccupazioni e dei miei interventi...».

E personalmente dà l'esempio: nel 1932 fece impiantare a sue spese le «cucine economiche» che davano un piatto di minestra gratuita a chi non poteva pagarla, a 20 centesimi a chi poteva pagarla. Nell'inverno di quell'anno, le «cucine economiche» distribuirono una media di seicento pasti al giorno.

Per sostenere l'iniziativa, vendette la sua preziosa croce pettorale sostituendola con una d'ottone. Altre cucine economiche istituì, nei primi mesi del 1945, per i minatori disoccupati (le miniere della provincia le aveva visitate tutte).

Ai sacerdoti che erano andati a chiedergli, nel 1945, come comportarsi con coloro che votavano per i comunisti, rispose così:

«Prima di dettarvi le norme da seguire, premetto che certi atteggiamenti del nostro popolo debbono ordinariamente essere considerati non come adesione alle teorie marxiste [...] ma come l'espressione di un animo esacerbato per la miseria in cui si vive, per la disoccupazione che dilaga, e soprattutto, desiderio di avere un pezzo di terra ove lavorare...».

Quello che di lui sto ricordando, rispetto al suo complesso e articolato operare nella diocesi, potrà quindi apparire parziale o limitativo, ma queste pagine non intendono essere una sua biografia esaustiva.

Ha scritto Massimo Ganci che l'assalto al latifondo e la sua conseguente eliminazione significava l'assalto politico e l'eliminazione non solo degli agrari, ma dell'intera società siciliana. Il latifondo insomma era l'unico grimaldello capace di far irrompere nelle dorate stanze dei blindati palazzi nobiliari.

Di questo erano benissimo consapevoli alcuni preti che, animati dalle idee politiche di don Luigi Sturzo, non esitarono a schierarsi contro gli agrari. Don Nicolò Licata, arciprete di Ribera, scriveva nel 1911 sul suo giornale significativamente intitolato «Il Lavoratore» un articolo nel quale c'erano frasi come queste: «Il latifondo è una palla di piombo legata ai piedi della Sicilia... la produzione agraria di Ribera darebbe il triplo senza il latifondo».

E non solo contro gli agrari. I sacerdoti Gandolfo e Graceffa organizzarono uno sciopero al quale parteciparono 4.000 zolfatari. E attivissimi furono altri sacerdoti: don Michele Sclafani (che fu mio esemplare insegnante di religione: «che vi credete, ragazzi, che la religione è solo pregare Dio in chiesa?»), don La Rocca, don Martorana, i canonici Morinello e Di Prima che, nell'agrigentino, furono detti «i preti sociali».

Gli agrari se ne preoccuparono tanto che il marchese Antonio De Gregorio, delegato dei proprietari terrieri al Primo Concilio plenario siculo del 1920, ebbe a dire pubblicamente rivolgendosi al Legato pontificio:

«Eminenza... Credo sia utile anzi necessario discutere in codesto augusto congresso sull'atteggiamento assunto da molti sacerdoti iscritti al partito popolare, i quali scordando i sacri precetti di non desiderare la roba altrui e tanto meno di non rubare incitano le masse turbolente a invadere e a impossessarsi delle terre altrui, predicando dal pulpito che il diritto di proprietà non esiste più».

Il marchese De Gregorio era in perfetta malafede. Né i preti che ho citato prima, né altri come Torregrossa, Lo Cascio, Scrimali, Gurrera, ecc., si sognarono mai di proclamare che la proprietà non doveva esistere più (e infatti il marchese, poco più avanti, insistendo nella strumentale farfantaria, li chiama addirittura bolscevichi), ma asserivano con forza e convinzione che la proprietà andava estesa anche a chi non possedeva niente e che per ottenere ciò c'era bisogno di una giustizia sociale, di una più equa distribuzione delle ricchezze.

La messa al bando dei partiti politici voluta dal regime fascista costrinse al silenzio i preti sociali.

Ma il vescovo di Agrigento li volle vicino a lui, pur mantenendoli necessariamente «in sonno».

Negli anni della guerra, e soprattutto nell'ultimo, quando i bombardamenti angloamericani s'intensificarono, il contegno di Peruzzo fu esemplare. Non abbandonò mai il suo posto per «sfollare» in luoghi più sicuri. Fece rientrare a casa loro i seminaristi per mettere i locali del seminario a disposizione della Croce Rossa. Così come mise a disposizione macari il palazzo vescovile dotandolo di cinquantacinque letti per i feriti.

Sul latifondo, il vescovo aveva da sempre preciso e fermo concetto. Favorevolissimo alle leggi del ministro (comunista) Gullo, così come lo era stato a quelle fasciste, egli scrive al cardinale Lavitrano che da Palermo coordina il lavoro dei vescovi siciliani: «Una vera grazia di Dio è lo spezzamento del latifondo in mano alla nobiltà siciliana». Egli è preoccupato solo per il «modo» col quale quello «spezzamento» sta avvenendo e teme uno scontro di ancora più vaste proporzioni. Non mette minimamente in dubbio che quelle terre debbano andare ai contadini (è l'unico vescovo in Sicilia a pigliare questa posizione), ma vorrebbe che lo «spezzamento» si effettuasse senza lo scontro frontale.

Nelle sue lettere pastorali egli si rivolge soprattutto ai «ricchi (che) non veggono il baratro che si apre sotto ai loro piedi», ai «signori», invitandoli a rispettare i lavoratori che sono «i vostri più grandi benefattori, perché con il loro lavoro vi permettono di essere signori».

E scrive ai parroci (che ha già esortato a «uscire dalle sacrestie»): «Dovete difendere i diritti dei poveri e dei lavoratori, intimando ai ricchi di essere giusti, caritatevoli e generosi ricordando a tutte le autorità costituite l'obbligo che hanno di essere sempre più vicini soprattutto ai più deboli e abbandonati».

Enzo Di Natali, che ha studiato gli scritti «sociali» del vescovo, ha sintetizzato il pensiero di Peruzzo in quattro parole: per lui, il latifondo era «una struttura di peccato».

Per gli agrari, il vescovo di Agrigento rappresentava dunque un vero e proprio pericolo. Dotato di forte carisma e di convincente, appassionata eloquenza, Peruzzo aveva saputo conquistarsi un larghissimo seguito. Nei primi mesi del 1945 cominciò inoltre a correre la voce che Peruzzo, nominato cardinale, avrebbe sostituito a Palermo il cardinale Lavitrano, che era il coordinatore delle attività dei vescovi siciliani. L'influenza di Peruzzo si sarebbe così enormemente allargata. E questa, per gli agrari, avrebbe potuto essere una vera jattura.

Il tentativo di toglierlo di mezzo con l'agguato della Quisquina però non lo piegò né l'impaurì: una volta rimessosi, ripigliò la sua lotta a fianco dei contadini con più vigore di prima.

Non volle mai essere trasferito altrove. Morì nel luglio 1963, a ottantadue anni, che era ancora vescovo di Agrigento.

A conclusione, una piccola storia personale per chiarire meglio la sua attenzione verso i giovani.

Nel 1942, un gruppo di liceali riuscì a farsi esonerare, con pretesti vari, dalle noiose adunate del sabato fascista. In cambio, il Federale volle che quei giovani, il pomeriggio del sabato, si dedicassero a un lavoro qualsiasi. Scelsero di andare in tipografia, imparando a comporre e a impaginare.

Da cosa nasce cosa e perciò venne loro in mente di fare un giornaletto per gli studenti del liceo e dell'istituto magistrale. La testata rappresentava un asino. Riuscirono a ottenere anche un poco di carta per stamparlo.

Io vi scrissi alcuni articoli, anche di politica. Verso la fine dell'anno, don Angelo Ginex, uno dei più giovani preti «sociali», mio amico, mi disse che il vescovo voleva parlarmi, ma non seppe dirmi di che. La notte avanti l'incontro, non riuscii a dormire, ero troppo agitato. L'avevo sentito parlare due volte a Peruzzo, e m'aveva quasi fatto paura. Era trascinante. Mi ricevette con vera cordialità alle sette del mattino («non ho voluto che perdessi qualche ora di scuola»), s'informò se appartenevo all'Azione cattolica e io gli dissi di no. Sul tavolo aveva i primi quattro numeri del nostro giornaletto.

A questo punto, volle sapere chi ispirava i miei scritti.

«Nessuno» risposi.

«Cosa leggi?».

«Tutto quello che mi capita».

«Sai chi è Marx?».

«Sì, ma non ho mai letto niente di suo. Mi scusi, eccellenza, ma perché mi fa queste domande?».

«Perché le tue sono idee comuniste, figlio mio».

Le gambe mi diventarono di ricotta, accomenzai a sudare. Comunista, io?! Ma se mio padre era squadrista! Se tutti in famiglia erano, sia pure blandamente, fascisti!

Vide il mio scanto, a momenti svenivo. Pigliò un articolo mio, lesse una frase, mi spiò:

«È farina del tuo sacco?».

Non lo era, glielo dissi con tanticchia di sollievo. L'avevo parafrasata da una rivista del Guf di Bologna. Le leggevo quasi tutte, quelle riviste dei Guf, aggiunsi.

M'intrattenne ancora per tanticchia, mi salutò in modo tale che capii d'avergli fatto simpatia. Mi raccomandò di restare in contatto con don Angelo Ginex.

Il quale Ginex, evidentemente d'accordo col vescovo, ai primi del 1943 cominciò a riunire dei giovani (c'ero anch'io) nella sacrestia della chiesa di San Francesco, spiegando imparzialmente il *Capitale* e la *Rerum Novarum*. Ma frattanto a me era capitato di leggere *La Condizione umana* di Malraux, passato non si capisce come attraverso le maglie della censura fascista, e mi ero fatto persuaso che il vescovo, dicendo che manifestavo idee comuniste, non aveva sgarrato di molto.

Poi da noi, nell'immediato dopoguerra, cominciò a imperversare il separatismo. Bande armate di fucili mitragliatori dell'EVIS circolavano di notte per le strade dei paesi.

Con qualche amico di Porto Empedocle (i fratelli Burgio, Cumella, Jacobs, Fiorentino, ecc.)

pensammo di riaprire le sezioni dei partiti prefascisti per poterci collegare con essi via via che l'Italia veniva liberata. Era un modo per non restare isolati in preda ai separatisti. Per fare ciò, però, dovevamo chiedere l'autorizzazione al comandante americano dell'AMGOT, l'amministrazione dei territori occupati.

Il colonnello americano consentì che si riaprissero le sezioni di tutti i partiti, tranne quella comunista. Che era la sezione che mi ero autoassegnata. Fu irremovibile.

Allora ebbi un'alzata d'ingegno, dovuta senza dubbio alla giovinezza, e domandai udienza al vescovo.

Si dimostrò contento di vedermi. Gli esposi la nostra idea antiseparatista e gli dissi che il capo dell'AMGOT era assolutamente contrario all'apertura della sezione comunista.

«Cosa vorresti da me?» mi spiò.

«Che lei, eccellenza, intervenga presso gli americani per farmi aprire la sezione».

Se la pinsò a longo, in silenzio. Poi disse:

«Meglio tu che gli altri».

Al momento di congedarmi, fece un mezzo sorriso.

«Non te l'avevo detto che eri comunista?».

Non risposi. Fatto sta che manco passò una simana che m'arrivò il permesso dell'AMGOT.

Ma quando tornarono i comunisti veri, quelli che si erano fatti anni e anni di càrzaro e di confino, non vollero riconoscermi come segretario della sezione e mi cacciarono via ritenendomi un intruso piccolo-borghese.

Suor Maria Crocifissa della Concezione

Isabella, secondogenita di Giulio Tomasi e di Rosalia Traina, nasce il 29 maggio 1645. Ancora un'altra figlia fìmmina, mentre sicuramente i genitori avrebbero preferito un figlio mascolo.

Nell'esatto momento nel quale viene alla luce, la neonata è già destinata a diventare monaca. Senza possibilità di ripensamento. E non per alchimie e convenienze dinastiche, si badi bene, ma per esplicita indicazione divina. «Fu osservato» scrive infatti Turano, suo biografo settecentesco «che uscì alla luce ricoperta da un velo (oltre alle secondine in cui sogliono nascere i fanciulli) e fin da quel momento quella spoglia duplicata a mistero indicato dal Cielo, che dovesse essa farsi suora». La prosa del Turano è tanticchia terremotata, ma il concetto è chiaro.

La delusione della coppia Tomasi viene quindi subito risarcita: la figlia è malauguratamente fìmmina, però è già toccata dalla grazia di Dio. E il loro fervore religioso se ne acchiana alle stelle.

Ma non si tratta solo di fervore religioso.

La futura monacazione di Isabella e delle sue tre sorelle; la posizione raggiunta a Roma fra i teatini dal gemello di Giulio, Carlo; l'andata a Roma fra i teatini del figlio mascolo Giuseppe Maria che diventerà cardinale (e poi sarà santificato), faranno certamente parte «di un gioco di squadra della famiglia ducale siciliana, di interrelazione di ruoli e di saperi fra i membri di uno stesso gruppo parentale deciso a *fondar case in terra ma etiandio in cielo*» (S. Cabibbo).

La picciliddra è malatizza, appare sempre sorpresa e scantata, come chiusa e attenta a un suo dolore interiore, non ci sta tanto con la testa, pare «annichilata da Dio», come scrive ancora il biografo Turano. Il quale aggiunge impietosamente: «un vaso di schifo, una corrotta massa, un licor di peste e nell'interno un non sai, non puoi, non vali, non sei, non dei».

Alla bambina viene inferta una continua, quotidiana devastazione di se stessa ad majorem Dei gloriam. L'eletta deve essere rigorosamente educata all'elezione.

E a tredici anni o poco più Isabella esprime infine il desiderio di diventare suora. Poteva disporre di sé diversamente?

Isabella non ha finito di dichiarare il suo desiderio che attorno a lei si scatena un'attività frenetica per esaudirlo. Come abbiamo già scritto, per non perdere tempo, Giulio Tomasi cede addirittura il suo palazzo perché diventi il convento della figlia. Spende tantissimo per ottenere l'immediata autorizzazione delli Superiori, si reca a Palermo per trovare suore, converse, istitutrici, abbadesse che possano popolare il convento istituito per compiacere la figlia.

La quale, in quel convento, non avrà mai nessuna carica, sarà sempre solo una semplice suora, ma attraverso il suo misticismo, attraverso le sue pratiche religiose quotidiane, attraverso le sue estasi e i suoi rapimenti, attraverso i suoi miracoli, attraverso i suoi scritti, suor Maria Crocifissa della Concezione detterà le vere regole di vita della comunità.

Tra le quattro pareti della cella, suor Maria Crocifissa ha eretto una croce invisibile, fatta di digiuni, preghiere e cilici, alla quale quotidianamente si crocefigge.

Cade in estasi frequenti, appaiono i segni esteriori della sua febbrile tensione emotiva che di sé permea come una corrente invisibile ogni cella del convento, intridendone quasi le mura stesse. Il convento prende a lievitare del suo misticismo.

Cominciano numerose manifestazioni d'inspiegabili prodigi.

Le compare all'improvviso, sul petto, una cicatrice a forma di cuore. Un doppio cuore. Questo secondo cuore è una proiezione di quello sanguinante di Gesù? – si chiedono le consorelle.

Ma a questo proposito, c'è una versione diversa. Sul petto di suor Maria Crocifissa non si incide «miracolosamente» (perché altre suore se lo facevano marchiare a fuoco) un cuore, ma «una croce che all'estremità dei due bracci portava le lettere A e S, Amor Sculpsit» (Cabibbo-Modica).

Per qualche giorno il suo corpo emana un intensissimo profumo «celeste», come può provenire da un roseto.

Acquista capacità profetiche. O meglio, divinatorie. Perché le sue sono profezie, come dire, a breve termine. Profetizzerà il cardinalato del fratello «Gioseffo». Ma non sempre le sue profezie sono no molto chiare.

Tanto che il nipote Giulio Maria, in una lettera a una zia suora nello stesso convento di suor Maria Crocifissa, oltre a domandare se il prodigio di quel profumo celeste non possa ripetersi nelle feste comandate (non si capisce il senso della domanda, perché di quel profumo celeste avrebbero potuto fruire solo le consorelle), si augura soprattutto che suor Maria Crocifissa, nelle sue divinazioni, possa esprimersi con «esattissima orazione», in modo che ogni cosa possa essere «indovinata» come «se lei fosse una zingara».

Con tanti devoti saluti alla santità della zia.

Suor Maria Crocifissa scrive e scrive in balia a un irresistibile impulso. Lettere ai familiari, in special modo al fratello Giuseppe Maria col quale intratterrà una fitta corrispondenza, lettere alle consorelle da cella a cella, ma soprattutto scritti d'argomento religioso che, raccolti nell'Ottocento in due volumi dal titolo *Visioni e rivelazioni*, ne fanno una scrittrice di rilievo nell'ambito della letteratura mistica.

Nel *Gattopardo*, Tomasi di Lampedusa, così narra del convento e della Beata Corbera (che altri non è che la Venerabile suor Maria Crocifissa):

«Abitudini secolari esigevano che il giorno seguente al proprio arrivo la famiglia Salina andasse al monastero di Santo Spirito a pregare sulla tomba della Beata Corbera, antenata del Principe, che aveva fondato il convento, lo aveva dotato, santamente vi aveva vissuto e santamente vi era morta...».

E ancora:

«In quel luogo tutto gli piaceva, cominciando dall'umiltà del parlatorio rozzo, con la sua volta a botte centrata dal Gattopardo, con le duplici grate per le conversazioni, con la piccola ruota di legno per fare entrare e uscire i messaggi con la porta ben squadrata...».

E Tomasi di Lampedusa narra anche come il principe di Salina «si edificava nel sentir raccontare per la ventesima volta dalla Badessa gli ingenui miracoli della Beata, nel vedere com'essa gli additasse l'angolo del giardino malinconico dove la santa monaca aveva sospeso nell'aria un grosso sasso che il Demonio, innervosito della di lei austerità, le aveva scagliato addosso; si stupiva sempre vedendo incorniciate sulla parete di una cella le due lettere famose e indecifrabili, quelle che la Beata Corbera aveva scritto al Diavolo per esortarlo al bene e la risposta di lui che esprimeva, pare, il rammarico di non poter obbedirle...».

Le biografie di suor Maria Crocifissa ci dicono della sua quasi quotidiana lotta col diavolo.

Lotta spirituale, certo, ma che talvolta degenerava in scontri fisici che lasciavano contusioni, abrasioni, ecchimosi sul corpo della suora. Contrariamente a quanto afferma Tomasi di Lampedusa, altri sostengono che il tentativo di lapidazione da parte del diavolo avvenne dopo un'accesa discussione con suor Maria Crocifissa su temi altamente teologici. Il grosso sasso venne fermato a mezz'aria dal braccio proteso di lei, un fluido invisibile fuoriuscì dalla sua mano bloccandone la traiettoria. Quindi il sasso ricadde lentamente a terra. Il sasso venne conservato e, in seguito, fu messo nella tomba di suor Maria Crocifissa.

Ho avuto modo di vedere una delle due famose lettere di cui parla Tomasi di Lampedusa, era momentaneamente conservata nel «tesoro» della Cattedrale di Agrigento. La scrittura, dai caratteri assolutamente indecifrabili, ma ordinati in righe perfettamente lineari ha una sua bellezza. È chiaramente una scrittura «inventata» (G. R. Cardona, *Storia universale della scrittura*, Milano 1986) e solo una parola, «ahimè», è scritta coi nostri caratteri.

Tomasi di Lampedusa si riferisce proprio a quell'ahimè quando dice con malcelata ironia del rincrescimento del diavolo che non può obbedire all'esortazione a cambiar vita che gli rivolge la suora?

In realtà le ipotesi su queste lettere sono almeno due.

La prima è che non si tratta di lettere scritte da suor Maria Crocifissa al diavolo.

I diavoli, è cosa cognita, hanno la facoltà di poter parlare istantaneamente tutte le lingue del mondo, ciò è indispensabile per lo svolgimento della loro attività perché, in caso contrario, dovrebbero tentare gli umani servendosi dell'aiuto di una caterva d'interpreti.

Se la lettera l'ha scritta la suora, questo viene a dire che essa è venuta a conoscenza di un linguaggio segreto dei diavoli, sul tipo di «Pape Satan, Pape Satan, aleppe».

Ma chi può averlo rivelato alla suora se non il diavolo stesso?

E che convenienza ne aveva il diavolo a rivelarglielo mettendo a repentaglio i segreti delle coorti diaboliche?

Alcuni sostengono che quelle lettere le scrisse sì la suora, ma sotto dettatura del maligno. E torniamo al solito problema: come fece a sapere come andava scritto quello che il diavolo le dettava?

La seconda ipotesi è che quelle lettere furono invece inviate dal diavolo alla suora.

E si torna daccapo a dodici: come faceva suor Maria Crocifissa a capire quello che c'era scritto?

Inoltre, si domandano autorevoli studiosi di demonologia, perché le lettere non sono firmate? Il diavolo usava «firmare» le sue lettere con una specie d'impronta digitale: vi posava sopra il piede caprino e lo zoccolo ardente bruciava la pergamena. Qui non c'è traccia di bruciature, quindi probabilmente si tratta di falsificazioni.

Ma esiste la verità di suor Maria Crocifissa che racconta di quell'episodio in modo completamente diverso.

Una notte – scrive – comparvero misteriosamente dentro la sua cella alcuni brutti ceffi, nei quali il suo occhio esercitato riconobbe fattezze diaboliche, che discutevano animatamente. Poi uno di loro sedette, e, dopo avere scritto qualcosa su un foglio, le rivolse la parola con toni intimidatori. La suora non capì e quelli se ne andarono vociando, probabilmente imprecando. La faccenda si ripeté la notte seguente, fu l'esatta ripetizione di ciò che era accaduto la notte avanti. Unica differenza: il secondo scritto chiaramente differiva dal primo. In conclusione, un mistero anche per suor Maria Crocifissa.

A ventitré anni venne colta da un male inspiegabile per i medici del tempo. Senza preavvisi di febbre o altri malesseri, all'improvviso regredì allo stato infantile. Perduto l'uso della parola, non riconobbe più nessuno, non seppe più darsi adenzia.

Suor Maria Serafica (al secolo Francesca Tomasi, la sorella di Isabella, che adesso è diventata badessa) testimonia che per lo più «piangeva a guisa di bambina» e talvolta rideva, sedendo a mezzo del giaciglio con gli occhi sbarracati. Aggiunge che «per farla cibare bisognava quella chi li porgeva aprire la bocca e fingere di masticare il boccone e Crocifissa guardando a quella con molt'attenzione giusto faceva come vedeva fare».

Pure in quello stato, «spesso si rapiva, restando affatto priva di sentimenti, tutta intesichita».

I medici non ci capirono niente e per farla tornare in sé da quei «rapimenti» con «forti ligature» la legavano alle più robuste consorelle che, tirandola da tutte le parti, cercavano così di farla tornare coi piedi per terra.

Il confessore Fortunato Alotto invece non ebbe mai il più piccolo dubbio: si trattava «dell'opera di Dio operata in Crocifissa per via soprannaturale».

Era anche l'opinione della badessa e delle consorelle che allestirono nella sua cella un altarino con tante candele dedicato a san Traspadano e si misero a pregare sommessamente. Registra suor Serafica: «Quella in un subito si rapì e si fece la faccia molto robeconda e con l'occhi ammirati al santo disse *"rubens ardens incombustus"* e restò un buon pezzo sì ammirata senza dar nessun moto vitale».

Un'altra volta, dopo aver fatto la Comunione, la faccia le si stracangiò in quella di un serafino.

Poi, lentamente, si ripigliò.

Negli ultimi tempi la vita nel convento del S. S. Rosario le diventò stretta. Era sottoposta a continua osservazione dalli Superiori e dalle consorelle che la tenevano sotto stretta sorveglianza in modo da cogliere la pur minima manifestazione della sua «santità».

Scrive allora al fratello Giuseppe Maria a Roma perché vorrebbe una «commutazione di loco». E dire che nei primi tempi si era lasciata andare, sempre col fratello, ad un inno sulla bellezza della vita comunitaria. Ora si sente spiata, teme che le sue lettere, intercettate, non raggiungano la destinazione voluta. Vorrebbe andare in un «loco più incognito e di maggior penitenza» e aggiunge: «Tutto ciò io qui non trovo perché io sto ingannando apprendendomi ciascheduno per quello che non sono essendo io peccatrice come loro mi credono santa».

Ma la risposta del fratello teatino, futuro cardinale e futuro santo, che non ha mai visto con molta condiscendenza gli eccessi mistici della sorella, puntualmente riferitigli dall'altra sorella, la badessa, è dura e severa: «Voi vi credete d'aver ingannato il mondo con le vostre falsità. Ma io non so intendere cosa intendete per mondo: perché cavatone il confessore già morto, e poche altre persone, tutto il mondo né meno sa che vi sia Palma e il suo Monastero».

Attenzione, però. Dall'epistolario emergono altri, e meno conosciuti, aspetti di suor Maria Crocifissa. Il suo ideale mistico non pare sempre consistere «nell'annegazione di sé», ma, anzi, in un desiderio, frustrato dalla condizione nella quale si trova, di fare, di agire. L'annegazione di sé talvolta sembra una rinunzia fatta a denti stretti, in nome dell'obbedienza, a una vita non passiva, ma concretamente operante. Verso la metà degli anni '80 cercò in qualche modo di «evadere» dal monastero per fondarne un altro a Scicli, ma ne venne impedita.

Si lamentava, in quelle lettere, «de' nostri immarmoriti tempi» a confronto di «quei benedetti tempi in cui li S. Apostoli, li martiri di Christo non otiorno momento per propagare la nostra santa Fede».

Ma queste pulsioni rimangono ammucciate nelle pagine scritte al fratello. Ormai è troppo tardi, ormai suor Crocifissa è condannata a restare dentro quell'immagine di sé che lei stessa ha contribuito potentemente a creare.

Morì, naturalmente in odore di santità, nel 1699.

La curiosità degli altri non la risparmiò manco da morta. Il corpo della suora letteralmente si sfece, andò in pezzi tra le mani di chi la toccava.

Scrive l'immancabile suor Serafica:

«Si trovarono tutte le vesti infracidite insuppate nell'acqua, il capo sciolto dalli spalle, come anco li braccia, ma dalli gomiti sino a' tutti le mani, intiere e coperte come di un bianco sovatto, e dalli gomiti in sino alle spalle, l'ossa spolpati, la testa, cioè il cranio e il teschio, tutta intiera, e tutto il cervello dentro fresco e molle, come di persona viva... Se le cavò pian piano tutta dalla testa, e Monsignore e il Sig. Abbate la trattennero un buon pezzo nelli loro mani con molta tenerezza, baciando più volte quella benedetta testa... Il cerviello lo posero in un cassettino raccolto tra tela e bambace nella medesima cassa, così fecero dello ganghi e denti, e altri pezzettini di ossi piccolini. Il petto era spolpato ma non tutto, ma credo io dalli mammelle in su... Quanto per vista tanto per tatto manteneva tutte l'interiori intiere, come anco nella parte del petto non consumato, benché tutti erano disseccate, o ritirate, il ventre lo stomaco cossì intiero che niente vi mancava, come anco li parte di dietro nella medesima parte, le ginocchia, gambe e piedi, eccettuate l'estremità, tutte intiere e bianche, ed il ginocchio sospeso senza potersi mai aggiustare come un Christo posto in Croce».

Suor Serafica aveva scritto all'inizio della sua relazione che al cadavere «posimo le mani per poliziarla». Finirono col farle una maldestra autopsia.

Nel 1797 venne proclamata Venerabile.

Per secoli la spiritualità accesa e appassionata di suor Maria Crocifissa della Concezione continuò a influenzare i pensieri stessi delle suore che ritenevano un grande privilegio l'essere state accolte nel convento del S. S. Rosario di Palma di Montechiaro.

3
Il fatto

A malgrado che è luglio, i mille metri della Quisquina fanno la sirata accussì frisca ch'è una billizza. L'aria leggera e pungente che sciàura macari di pino allarga il petto e pulizia i pinseri.

Il vescovo e don Graceffa s'assettano supra alle pietre e sinni stanno in silenzio. Don Graceffa si deve ripigliare della sia pur breve caminata nel bosco.

Non passa manco un minuto che una fucilata 'mprovisa, sparata da pochi metri di distanza, esplode con un gran botto fatto cchiù forte dalla quiete assoluta che c'è torno torno. Il vescovo sente il proiettile fischiare a pochi centimetri dalla sò testa e istintivamente si susi addritta di scatto, strammato, si talia torno torno, non capisce nenti di quello che sta capitando.

«Si butti giù!» gli grida don Graceffa.

Peruzzo accenna a farlo, ma gli appostati non gliene danno tempo. Sparano di nuovo e stavolta lo pigliano: il vescovo ha la 'mpressione di essere stato colpito quattro volte. In realtà i colpi che lo

ferirono furono solo dù: uno gli perforò un polmone
e l'altro gli fracassò l'avambraccio mancino. Erano proiettili in dotazione al moschetto modello '91,
quello usato dai nostri soldati a partire dalla Grande guerra.

Torna il silenzio assoluto.

Il vescovo ha sessantasette anni ed è ferito a morte. Ma, figlio di viddrani, è omo fisicamente molto forte e robusto.

Arrinesci a sollevarsi da terra e, appuiannosi «al
debole braccio» di don Graceffa, accomenza a ca-
minare penosamente verso l'eremo. Don Graceffa, da parte sò, se non si reggeva addritta prima,
figurarsi ora per lo scanto e per l'emozione.

Fatti pochi passi, Peruzzo perde le forze, pensa
che è vinuto il momento della morti.

Nel doppopranzo si era confessato con un padre
passionista che era venuto a fargli visita. Ma ora
vuole confessarsi nuovamente. I dù, per mantini-
risi addritta, si appoiano a un àrbolo e don Graceffa lo confessa.

Ripigliano la loro via crucis.

Doppo tanticchia, a Peruzzo veni uno scrupolo: ha
confessato proprio tutto, si è puliziato completamente l'anima, o la situazione gli ha fatto scordare
qualichi cosa? Per il sì o per il no, si riconfessa 'na
secunna volta, mentre che continua a perdiri sangue
come 'na funtana.

Proprio davanti alla porta dell'eremo, cade affacciabocconi e non arrinesce a rialzarsi. Don Graceffa, mischino, gli s'inginocchia allato. Gli manca la voce macari per chiamare aiuto da quelli che sono dintra all'eremo e non hanno 'ntiso nenti.

«Mi vada a prendere il Santissimo» dice Peruzzo col picca sciato che gli resta.

Ma forse quelle parole non è arrinisciuto a pronunziarle, gli è parso di averle dette, ma le ha solamente pinsate.

Don Graceffa infatti trase stremato nell'eremo non per pigliare il Santissimo, ma per mandare in pàisi il cuoco-cammareri per circare soccorsi.

Il vescovo, mezzo sbinuto, si mette a prigare per sé e per i suoi amati «figli di Agrigento».

Passa un quarto d'ora e Peruzzo si sente tornare tanticchia di forza. Appresso si saprà che nel polmone si era formato una specie di pneumotorace, altrimenti sarebbe morto dissanguato.

Facenno piso sulo supra il vrazzo destro, pirchì quello mancino gli pinnulia stroncato dal colpo, si rimette addritta e, appuiannosi muri muri, arriva nella sò càmmara e si butta supra al letto.

Don Graceffa lo cerca, lo trova e tenta di tamponargli le ferite, ma non è cosa, allura s'inginocchia allato al letto e si metti a prigare a voci vascia. Alle nove e un quarto, vale a dire un'ora e mezza doppo l'agguato, arrivarono i carrabineri e dù medici di Santo Stefano «con i primi rimedi». Alle tri di notte s'appresenta macari un medico di Agrigento, il dottor Sciascia, con un'autoambulanza. Ma la machina non poté fare gli ultimi tre chilometri pirchì la strata di campagna era impraticabile, più che altro era una trazzera, una mulattiera.

Concordemente, il medico di Agrigento e quelli di Santo Stefano si ficiro pirsuasi che il ferito era intrasportabile se prima non veniva operato. E po' era troppo debole.

Fortunatamente i carrabineri si erano messi a circari il profissore Raimondo Borsellino telefonanno alle loro varie stazioni, l'avevano rintracciato in un paisuzzo della provincia di Agrigento, gli avivano spiegato la facenna e il profissore aviva arrispunnuto che arrivava prima che potiva.

Infatti s'arricampò alla Quisquina alle quattro del matino.

Il profissore Ramunnu Borsellino merita però 'na piccola parentesi.

Il vescovo, nella littra che scrisse a Pio XII per contargli la storia, lo definisce «ottimo chirurgo». Era forse qualichi cosa di più, era un chirurgo assolutamente geniale.

Piccolo di statura, nirbùso, sgarbato, mutanghero, era in realtà un omo timido e di una generosità sconfinata.

Negli anni dei terribili bombardamenti angloamericani, aviva fatto 'na bella pinsata. Visto e considerato che troppi feriti morivano pirchì non c'era il tempo o i mezzi per portarli allo spitale, ecco che subito doppo un bombardamento s'appresentava il profissore che opirava i feriti nella prima casa ancora sana che attrovava. Accussì, come in un vero e propio campo di battaglia.

Per gli spostamenti si serviva della sò machina, io me l'arricordo enorme, guidata da un autista pirchì lui non la sapiva portare.

Finita la guerra, dato che fagliavano i spitali o non c'erano posti, si mise a fari il chirurgo volante, operando case case. Dù jorni avanti l'opirazione passava nell'abitazione del malato, scigliva la càmmara, la faciva puliziare e disinfettare e po' opirava, al jorno stabilito, macari supra a un tavolo da mangiari. Fece accussì macari con mè matre che non arrinisciva a trovare posto nello spitale.

Siccome che non poteva sterilizzare gli strumenti adoperati per ogni opirazione, si portava appresso un armamentario di strumenti già sterilizzati distribuiti in cinco o sei valigette. Ogni valigetta era un set, come si direbbe oggi, da chirurgo da campo.

E si portava appresso macari 'na poco di cammisi bianchi. Quelli allordati, li mittiva in un sacco che tiniva nel portabagagli. Come assistente, si pigliava il medico condotto del paìsi. Torno a ripetere, faciva veri e propi miracoli. Omo religioso, non sopportava i parrini nelle vicinanze del posto indove che doviva travagliare.

«O lei o io» disse un jorno a un parrino che vide nella càmmara allato a quella dove il paziente stava già stinnicchiato in attesa.

«Ma è mio fratello!» disse il parrino.

«Allora l'operi lei» fici il profissore andandosene.

Tornò sulo quanno ebbe piena assicurazione che il parrino sinni era annato.

Diventò una leggenda vivente. Spisso e vulanteri non si faciva pagare. La gintuzza s'inventò su di lui una canzonetta. Ne ricordo due versi:

E passa Bursallino
cu lu cuddruzzu tortu...

Perché, pirdenno le nuttate a opirare, dormiva in machina, con la testa appuiata a un normale cuscino bianco da letto, approfittanno degli spostamenti da un paìsi all'altro. A forza di dormiri accussì, il collo gli era addivintato tanticchia storto.

Si lasciò convincere dai notabili DC siciliani a presentarsi come deputato nazionale. Venne eletto con centinara di migliara di voti di preferenza. Pigliato dalla politica, non opirò più, stava sempre a Roma. Allura i comunisti tirarono fora 'na speci di slogan: «Bravi! Avete scangiato un chirurgo senza pari con un deputato di mezza tacca». Alle elezioni successive, si ripresentò. Ottenne una decina di voti di preferenza. Tornò a opirare come prima e quanno passava per le strate con la machina la gente gli batteva le mano.

Raimondo Borsellino, come sua abitudine, opirò magistralmente a Peruzzo supra al tavolo del refettorio. Ma stavolta aviva l'assistenza di ben tri medici. Un vero lusso, per lui.

«Vi furono tagli dolorosi e una pericolosa trasfusione di sangue» scrive Peruzzo nella littra al Papa. Il sangue glielo dette un parrino che si chiamava Sortino.

Alle nove del matino Borsellino stabilì che il vescovo potiva fare il viaggio per il palazzo vescovile di Agrigento. Non stimò necessario farlo annare allo spitale.

I carrabineri se lo carricaro in qualichi modo («per tre chilometri di alpestri strade», scrive il vescovo) e lo portaro all'ambulanza ch'era ferma appunto a tri chilometri di distanza. Da Santo Stefano ad Agrigento c'erano 85 chilometri di strata, furono fatti a passo d'omo, a ogni paìsi c'era gente che l'aspittava, s'inginocchiava e prigava. Si capì sulo allura quant'era voluto bene. Il vescovo arrivò nel sò palazzo che erano le dù di doppopranzo. Stette per sei jorni in pericolo di vita.

Ancora dalle mè parti non era arrivato il tempo delle ammazzatine alla grande di magistrati, carrabineri, poliziotti e parrini. C'erano state, e continuavano a esserci, quelle dei sindacalisti e di qualichi politico di secunna categoria, ma rientravano nel quatro della guerra tra agrari e contadini.

Quindi il tentato omicidio di un omo di chiesa di rango accussì elevato costituì 'na novità assoluta che sgomentò tutti.

E ancora non era arrivato l'altro tempo, il tempo di dare la colpa di tutto quello che capitava ai comunisti: e dire che Peruzzo, contro il comunismo, aveva avuto sempri parole di foco. E perciò si capì subito che i colpi non erano stati sparati da sinistra, nemmeno il più malevolo ci s'azzardò a pinsarlo.

Allura chi era stato?

Il «Giornale di Sicilia», l'unico che si pubblicava nell'isola, pur con tutta la rumorata che il fatto aviva provocato, telegrammi da tutta Italia e dal Papa, gente in ginocchio che prigava davanti al Vescovado, funzioni continue nelle chiese, vescovi, alti prelati, omini politici che arrivavano a frotte ad Agrigento, solo il jorno 12 luglio s'addecise a dare una notizia in prima pagina (in precedenza le notizie le aviva date in cronaca):

Dalle prime indagini pare che l'attentato sia stato eseguito da una banda che scorrazzava nei territori ed è da tempo attivamente ricercata dalla polizia. L'attentato è posto in relazione con la campagna di conferenze che Sua Eccellenza ha fatto svolgere contro il banditismo.

Sono arrivati da Palermo mons. Di Leo e l'avvocato Bernardo Mattarella, nonché l'ispettore generale di P. S. commendator Messana col commissario capo cav. Urso con nuclei di P. S.

Sulla indagine circa causali del delitto si mantiene il più assoluto riserbo. Corrono nel popolo le voci più disparate e contraddittorie.

Dalla monumentale (oltre 500 pagine) biografia di G. B. Peruzzo scritta dal canonico Domenico De Gregorio, non risulta per niente che il vescovo si sia impegnato in prima persona in una campagna contro il banditismo. Come suggerisce il giornalista, avrà forse consigliato a qualche sacerdote di parlarne ai fedeli. La campagna di Peruzzo non riguardava il banditismo, ma il latifondo.

E po': quali erano queste voci disparate e contraddittorie?

La contraddizione non potiva che essiri una: tra chi diciva che il vescovo era stato sparato per una vendetta privata e chi invece s'azzardava a sostiniri che l'attentato era la conseguenza logica della ferma posizione pigliata da Peruzzo sull'occupazione dei feudi.

Il giornalista non tornerà più sull'argomento che pure sarebbe stato interessante assà.

Il giorno appresso il «Giornale di Sicilia», dopo avere scritto che Peruzzo non è stato dichiarato ancora fuori pericolo e che sono state estratte diverse schegge dal braccio, aggiunge:

Le indagini continuano sempre e sono stati compiuti parecchi arresti. Si sono recati sul posto il prefetto e il questore.

Fermiamoci un momento.

Tra i nomi degli illustri personaggi che sono andati a trovare separatamente il vescovo, spiccano quelli di Bernardo Mattarella e del commendator Messana.

Mattarella, allora dirigente dell'Azione cattolica, da lì a poco diventerà un «chiacchierato» protagonista della vita politica siciliana e italiana. Parlamentare e ministro di tutti i governi della DC, nel 1965 venne da Danilo Dolci indicato alla Commissione antimafia come politico strettamente legato alla mafia fin dal primissimo dopoguerra siciliano, vale a dire dal 1943-44. Dolci non riuscì a provare la sua asserzione, che pure era condivisa da molti. I figli di Mattarella, Piersanti e Sergio, seguiranno invece una strada limpida e chiara, tanto che Piersanti, nel 1980, verrà assassinato dalla mafia mentre da due anni ricopriva la carica di Presidente della regione. C'è un dettaglio molto significativo: Piersanti non volle mai mettersi in lista nel collegio elettorale di Castellammare, feudo paterno.

L'ispettore generale della Pubblica Sicurezza Ettore Messana vedrà da lì a qualichi anno stroncata la sò brillante carrera, quanno si verrà a sapiri che, oltre a mantiniri ottimi rapporti d'amicizia con mafiosi di Morreale, usava passare la festività del Santo Natale a Montelepre col bandito Giuliano, appresentandosi a lui con un panettone e 'na buttiglia sutta al vrazzo. Ma macari chiacchiariato, ce ne vorrà per mannarlo in pensione.

Girolamo Li Causi, deputato comunista noto per la sua lotta alla mafia, farà un'interpellanza parlamentare al ministro dell'Interno, Mario Scelba, per sapiri come era concepibile che un omo accussì restava in carica. Ma a Scelba abbisognavano proprio omini accussì.

Mattarella e Messana, assittati in momenti diversi al capizzale del vescovo, spiegano la loro comune pinione sugli autori dell'attentato. Parino il gatto e la volpe di collodiana memoria. Mi joco il jocabile che Messana aviva già in sacchetta la lista di chi mannare in càrzaro.

E infatti il «Giornale di Sicilia» del 14 luglio (cioè a manco di cinco jorni dal tentato omicidio) è in grado di dire macari i nomi dei mancati assassini, rivelatigli dal nostro ispettore generale:

Risulta infatti che mentre mons. Peruzzo, in compagnia di un sacerdote, stava seduto su un sedile distante cento metri dal convento, da una finestra dell'edificio partivano alcuni colpi di arma da fuoco che colpivano in pieno il vescovo e lasciavano illeso il sacerdote che stava accanto a lui. Dalle prime indagini sembra che sia risultato che il temibile pregiudicato Paolo [sic] Mortellaro fu Antonio, di anni 48 di Alessandria della Rocca, ex frate conventuale del santuario di Quisquina, sia stato espulso, per ordine del vescovo Peruzzo, per indegnità avendo commesso atti insani. L'ex frate faceva continue pressioni verso il vescovo per essere riammesso nel convento ma senza alcun esito per la ferma decisione del Prelato. Il Mortellaro giurò di vendicarsi e con la complicità di fra Rosario, al secolo Di Salvo, da Bagheria, ed un altro frate conventuale, attesero al varco mons. Peruzzo. Pare che il solo Mortellaro abbia esploso il colpo che ferì gravemente il vescovo.

L'altro frate conventuale, del quale non si fa il nome, era fra Vincenzo, al secolo Filippo Cacciatore di Santo Stefano Quisquina.

Nella cronaca del jorno 18 il giornalista corregge 'na poco d'imprecisioni:

È risultato alla polizia che i tre eremiti si nascosero nel vicino bosco e da un cespuglio distante venticinque metri dal sedile dove stavano seduti il vescovo e il sac. Giuseppe Graceffa, nativo del luogo, i malfattori esplosero tre colpi di fucile, ma solo due colpirono il vescovo, mentre il sacerdote Graceffa rimase illeso. È stato altresì accertato che il primo a sparare fu il Mortellaro il quale subito dopo fuggì assieme ai suoi complici dileguandosi.

Sostanzialmente, è lo stisso di quanto scrive Peruzzo al Papa:

«Gli eremiti di Santa Rosalia non hanno mai goduto buona fama e circa venti anni or sono il loro superiore fu trovato ucciso con più di sessanta coltellate. Gli autori furono messi in prigione e vari condannati a parecchi anni di confino. Fra questi il peggiore era fra Antonio Mortellaro, presunto autore del delitto condannato a sei anni di confino e definito dalla questura pessimo soggetto e capace di ogni delitto. Orbene, costui, sei anni or sono, con la connivenza di un commissario prefettizio è rientrato nell'eremo dove fu portata la rivoluzione nei romiti superstiti, è stato accusato di furto e manteneva una tresca con una donna. Evidentemente non lo si poteva tenere. Fu ammonito e poi escluso per mezzo della questura. Egli lì per lì tacque e nei due anni trascorsi non si è vendicato. Oggi i tempi sono più propizi ai delitti di sangue e si è accinto all'opera».

Dunque è tutto chiaro.

C'è il nome di colui che ha tentato l'omicidio, ci sono i nomi dei suoi due complici, c'è un preciso e convincente movente. Enzo Di Natali, che ha scritto un libro, *L'attentato contro il Vescovo dei contadini* (libro che è all'origine di questo mio scritto e che da me è stato ampiamente sfruttato), dopo avere contraddetto il giornalista che sosteneva che i colpi erano stati sparati da venticinque metri (erano assai più vicini), si pone una domanda molto acuta: perché gli attentatori evitarono accuratamente di colpire don Graceffa? Solo perché non ci entrava per niente nei rancori di Mortellaro verso il vescovo? Via, non babbiamo. Badate che veramente ci mettono molta attenzione a schivarlo, dato che si tratta di tiratori alquanto inesperti, tanto è vero che il primo colpo, quello che sarebbe stato sparato da Mortellaro, addirittura va a vuoto passando a pochi centimetri dalla testa del vescovo.

Di Natali cerca di darsi 'na risposta che è intelligente quanto la domanda.

«Nell'attentato che Peruzzo subì, a mio avviso, il sacerdote Graceffa sembra che fosse stato lasciato illeso, in modo che non venissero prese in considerazione altre piste di indagini e tutto si chiudesse sui monaci».

E infatti accussì avvenne.

Ma c'è di più. Macari l'anno avanti, 1944, Peruzzo era stato in vacanza alla Quisquina. Lo scrive al Papa:

«Anche quest'anno ho bramato raccogliermi nel santuario ed eremo di Santa Rosalia...».

Pirchì Mortellaro non ne approfittò allora mentre ancora gli abbrusciava l'offisa fattagli dal vescovo? Anche Peruzzo se lo spia e spiega che Mortellaro ha aspittato tempi più propizi. Ma Mortellaro è uno sdilinquente che agisce d'impeto, sull'onda della violenza irrazionale, non ha manco la capacità mentale di capire se i tempi sono giusti per fare 'na certa cosa o no.

Non credo che la facenna stia accussì.

Il fatto certo è che la posizione di Peruzzo nei riguardi degli agrari si fa aperta e inequivocabile tra il 1944 e il 1945 e quindi solo allora conviene usare l'arma Mortellaro. Il quale forse non pensa di vendicarsi, ma si lascia facilmente convincere macari pirchì gli è stato promesso, a cose fatte, denaro assà. Ingaggia due complici che però lui lascia all'oscuro di tutto quello che c'è darrè alla facenna. I dù complici infatti sono pirsuasi di non aviri fatto altro che aiutare Mortellaro nella vendetta.

Le indagini furono personalmente guidate dal racalmutese ispettore generale della P. S. commendator Ettore Messana che abbiamo già visto di che pasta era fatto.

In questa occasione, con molta abilità, portò l'inchiesta dove voliva lui. Torno a ripetere: a meno di cinque jorni dall'attentato, era già in grado di dare nomi e cognomi dei mancati assassini, di spiegarne motivazioni e movimenti.

Forse quello che contò ai giornalisti gli venne suggerito da quei mafiosi morrealesi coi quali era in grannissima cunfidenza.

Ma c'era un piccolo problema: nisciuno era in grado di confermare le sò affermazioni.

Aviva fatto fare numerosi arresti, è vero, ma si trattava di pruvolazzo nell'occhi, gli arrestati erano tutti sdilinquenti di poco conto che non ci trasivano nenti con la storia della Quisquina.

Mortellaro non potiva né confermare né smentire pirchì non fu mai arrestato. Doppo aviri sparato al vescovo, scomparse.

È opinione di pochi che la mafia gli aviva dato i soldi per scappare all'estero, mentre è opinione della stragrande maggioranza che Mortellaro morì di lupara bianca, vale a dire che venne ammazzato e il suo corpo fatto scomparire in qualichi chiarchiaro.

Non poteva restare in vita, avrebbe sempre potuto rivelare chi c'era darrè a quello che doviva essiri un omicidio e che non lo fu solo per l'imperizia degli attentatori.

A farla breve, dei tri che parteciparono all'attentato al vescovo, solo uno, Onofrio Di Salvo, fu condannato a qualche anno di càrzaro: confermò parola per parola la ricostruzione di Messana. Il terzo, fra Vincenzo, invece era già stato prosciolto da ogni accusa e rimesso in libertà.

Tra parentesi.

Durante lo svolgimento del processo che si tenne a Sciacca, pare che ci fu qualichi avvocato che avanzò ipotesi diverse da quelle che Messana aviva abilmente fatto addivintare concrete, ma la cosa non ebbe nessun seguito nel dibattito.

Dico pare pirchì il solito quotidiano palermitano dedicò picca spazio al processo.

Naturalmente, il vescovo fu convocato, come parti offisa, dal tribunale di Sciacca per il processo contro l'unico imputato. Non s'appresentò e accussì si giustificò:

«Dovrei il 25 novembre venire costì: ma a fare che cosa? Un padre non può deporre in tribunale contro un proprio figlio, anche se cattivo. Può solo pregare perché si converta e viva».

Tempo dopo, trovandosi Di Salvo in totale indigenza, gli mandò, ammucciuni da tutti, una consistente somma di denaro.

Ad ogni modo, chi volesse oggi consultare gli atti di quel processo non potrebbe farlo.

Le carte processuali non si trovano più né a Sciacca né a Palermo né, ma è 'na mia maligna pinione, non si trovano cchiù manco in qualisisiasi altro posto supra la facci di 'sta terra.

La cosa che più interessa al proseguimento del mio racconto però è sottolineare che doppo sei giorni di prognosi riservata, il vescovo Peruzzo fu dichiarato finalmente fora pericolo. Pirchì in quei sei jorni capitò una facenna a lungo ignorata da tutti.

4
La lettera

Nell'estate del 2004 a Porto Empedocle, nel bar da me abitualmente frequentato, faccio conoscenza con Enzo Di Natali, docente di Religione e licenziato in Teologia morale, che mi regala l'ultimo numero di una rivista, «Oltre il muro», tipograficamente ben curata, addirittura elegante, che si stampa ad Agrigento, e un suo libro, *L'attentato contro il Vescovo dei contadini*, che ha come sottotitolo «Il latifondo come struttura di peccato nel vescovo di Agrigento mons. Peruzzo».

Sfoglio, mentre parliamo, la rivista. È un'autentica sorpresa, tutt'altro che provinciale e d'orizzonte ristretto, tende ad una approfondita rilettura della cultura cattolica del '900 e dedica lunghi e intelligenti saggi a Rebora, Betocchi, Lisi...

Anche il libro, stampato a Canicattì nel 1999, è per me interessante, tratta di un periodo che io, ventenne, ho vissuto con molta intensità.

Mi riprometto di mettermelo in valigia e di leggerlo con calma a Roma. Al momento della mia partenza, mi rendo conto che i libri che voglio portarmi appresso dalla Sicilia sono troppi per contenerli in una valigia e allora ne faccio un pacco a parte che spedisco al mio indirizzo romano.

Arriva con incredibile ritardo e completamente assuppato come se l'avessero fatto viaggiare nella stiva di un vapore che imbarcava acqua. Tiro fora tutti i libri e li metto ad asciucare, compreso quello di Di Natali che vorrei leggere al più presto. Quando lo ritengo bastevolmente asciutto, lo metto accuratamente da parte.

Dopo qualche giorno lo cerco e non lo trovo più. A me capita sempre così con tutto quello che ripongo da qualche parte con particolare cura per non perderlo: sparisce. Vane allora le ricerche, le richieste d'aiuto a sant'Antonio, la messa a soqquadro dell'appartamento tipo visita dei ladri o perquisizione della polizia, niente. Pare che l'oggetto ci provi un particolare piacere ad ammucciarsi ancora di più. In genere, ricompare misteriosamente e con aria sorniona quando ci ho perso le speranze.

Il libro di Di Natali si comportò così. Ma il tempo perso a cercarlo si era mangiato il tempo che avevo per leggerlo. Dovetti a malincuore metterlo nuovamente da parte e dare la precedenza ad altre letture attrassate. Finalmente, ai primi di novembre, potei cominciare a leggerlo. Mi interessò molto, tanto che lo riposi nella libreria tra i libri che mi piace avere sottomano.

Non ricordo più chi ha scritto che, entrando in un museo o in una galleria d'arte, ci sono dei quadri che ci chiamano. Vogliono farsi vedere da noi immediatamente e riescono in qualche modo ad attirare la nostra attenzione anche se si trovano due o tre stanze più in là.

I libri, secondo me, hanno la stessa capacità.

Appena m'accostavo alla libreria, il libro di Di Natali, di appena 120 pagine e di formato non certo grande, faceva di tutto per farsi notare. Se prendevo un libro, quello di Di Natali, che si trovava nel ripiano sottostante, cadeva a terra senza che ci fosse stata la possibilità di sfiorarlo. Una volta riuscì a entrare perfino dentro a un altro libro più grosso che dovevo consultare.

Allora decisi di rileggermelo, se era questo che voleva.

Devo confessare una mia cattiva abitudine: non leggo mai le note a piè di pagina, non so perché mi danno fastidio. Leggo le note quando sono raggruppate tutte a fine capitolo o a fine libro.

Stavolta, mi dissi, leggerò anche le note.

E fu così che arrivato al capitolo IV, intitolato «Un interrogativo inquietante: l'attentato del 1945», lessi fra le altre, come mi ero ripromesso, anche la nota n. 181.

La nota faceva riferimento a questa frase del testo:

«... fu un attentato che seriamente turbò la diocesi agrigentina».

La nota quindi intendeva, con un esempio preciso, dimostrare la serietà e l'ampiezza di quel turbamento. Diceva così:

«Nella lettera del 16 agosto 1956 l'Abadessa sr. Enrichetta Fanara del monastero benedettino di Palma Montechiaro così scriveva a Peruzzo: "Non sarebbe il caso di dirglielo, ma glielo diciamo per fargli ubbidienza [...] Quando V. E. ricevette quella fucilata e stava in fin di vita, <u>questa comunità offrì la vita di dieci monache per salvare la vita del pastore. Il Signore accettò l'offerta e il cambio: dieci monache, le più giovani, lasciarono la vita per prolungare quella del loro beneamato pastore"».

Alla lettura di queste parole che ho voluto sottolineare, feci letteralmente un salto dalla seggia, provando uno sgomento quasi certamente uguale a quello provato dalla diocesi agrigentina alla notizia dell'attentato.

Sembra una di quelle frasi fatte che detesto, ma era proprio accussì: non credevo ai miei occhi.

Allora, ancora 'mparpagliato dalla lettura di quelle righe, feci una cosa tanticchia stramma.

Pigliai un foglio di carta e una penna e, nel lato sinistro, riportai le frasi che più mi avevano colpito, mentre nel lato destro scrissi una specie di mia traduzione-interpretazione chiarificatrice. Volevo insomma fare 'na specie di prova del nove.

Questa comunità offrì la vita	Il convento delle suore benedettine di Palma Montechiaro, nel suo insieme, vale a dire per decisione collettiva, stabilì di far morire.
Di dieci monache	Il rapporto quindi è di uno a dieci, che è quello tipico quando si prendono ostaggi o si procede appunto a decimazioni.
Per salvare la vita del pastore	Dieci vite contro una. Con una differenza sostanziale: che la vita del vescovo è stata messa a repentaglio contro la sua volontà, mentre le dieci suore si offrono volontariamente di morire.

| Il Signore accettò l'offerta | Come ha fatto il Signore a far sapere che era d'accordo? E se metti caso non lo era? Poiché l'Abadessa non parla di eventi miracolosi che potevano essere letti come segni di assenso o di dissenso, è chiaro che l'Abadessa e le suore erano convinte a priori che il Signore avrebbe accettato. Ma questo non è un forzare un po' troppo la volontà divina? Oppure manca qualcosa nella frase, un «evidentemente». Allora la frase assumerebbe questo significato: «Il Signore evidentemente accettò l'offerta, dato che lei è ancora vivo»... |
| E il cambio: | «Cambio» è un gentile eufemismo di suor Enrichetta, sta per dieci vite umane. |

Dieci monache, le più giovani	Le più giovani perché l'offerta sia più allettante? E come si procedette alla designazione, solo in base ai dati anagrafici o la scelta, sempre tra le più giovani, venne fatta secondo altre valutazioni come il grado di spiritualità, lo zelo religioso, l'inclinazione al misticismo o altre qualità che mi sfuggono?
Lasciarono la vita	Altro eufemismo: si lasciarono morire.
Per prolungare la vita, ecc.	Viene ribadito in cosa consisteva il patto.

Arrivato alla fine, capii che avevo capito benissimo fin dalla prima lettura. In altre parole: dieci giovani donne si erano lasciate morire, o meglio e più brutalmente, si erano in qualche modo ammazzate (posso scrivere suicidate? No, non posso, sarebbe troppo semplicistico), persuase che il loro sacrificio avrebbe salvato la vita del vescovo.

L'avevo capito subito, solo che mi ero rifiutato

di capire, tanto le parole di suor Enrichetta Fanara m'erano parse incredibili.

Dovevo assolutamente saperne di più.

Poiché Di Natali aveva scritto che la lettera l'aveva tratta da una biografia di Domenico De Gregorio, *Mons. G. B. Peruzzo* (Trapani 1971), telefonai a Elvira Sellerio pregandola di procurarmene una copia. Mi rispose il giorno appresso facendomi sapere che il libro era ormai introvabile, ma che, esistendone un esemplare in non so quale biblioteca palermitana, ne avrebbe fatto fare fotocopia e me l'avrebbe spedita. Il plico, abbastanza voluminoso, arrivò dopo qualche giorno. Andai subito a cercare la pagina che m'interessava.

De Gregorio lascia capire che, essendo l'archivio del vescovo Peruzzo di impressionante vastità e non ancora ordinato e catalogato, la lettera dell'Abadessa gli era capitata tra le mani quasi per caso.

Ebbi una profonda delusione. Le frasi riportate da Di Natali erano le stesse di quelle trascritte da De Gregorio nella nota 10 di pagina 491, non una parola in più né una parola in meno. L'omissis stesso c'era già nel testo di De Gregorio.

Il quale non si era manco pigliato la pena di cercare la certa risposta del vescovo all'Abadessa. Sarebbe stato interessante assà sapere come se la pinsava.

Che fare per saperne di più?

Un mio amico giornalista, intrigato dalla vicenda e deciso a darmi una mano d'aiuto, telefonò a Di Natali per avere qualche altra notizia in proposito e questi gli rispose che proprio sulla morte delle suore nel convento delle benedettine si era tenuta qualche anno avanti una tavola rotonda a Palma al Circolo di Cultura «G. B. Odierna».

E inviò macari due ritagli di stampa molto brevi.

Li lessi e francamente non ci capii molto.

L'Abadessa suor Rosalia Mangiavillano, intervenuta nella discussione, sostenne una curiosa tesi e cioè che le suore erano morte per denutrizione in quanto in quegli anni la comunità viveva praticamente in povertà assoluta e perciò i viveri scarseggiavano come del resto un po' dovunque in Sicilia.

A questa singolare affermazione replicò il relatore Carlo Sortino, facendo osservare che le suore benedettine del S. S. Rosario provenivano tutte da famiglie abbienti le quali, soprattutto in quel periodo, provvedevano costantemente a inviare vettovaglie e generi di prima necessità alle parenti in clausura.

Nessuno obbiettò che le suore defunte erano tutte giovani e che logica della denutrizione vuole che i primi a soccombere siano i più deboli, cioè i bambini e le persone anziane.

E a nessuno passò manco per l'anticamera del ciriveddro di spiegare ai presenti che se le cose erano andate accussì, c'era da tirare una precisa conseguenza e cioè che l'Abadessa suor Enrichetta Fanara, scrivendo quello che aveva scritto al vescovo, gli aveva contato una farfantaria, aveva millantato la morte per stenti di dieci suore come una volontaria offerta della loro vita in cambio di quella di Peruzzo.

Ipotesi, questa, totalmente impraticabile.

Il convento di Palma era ed è noto per il rigore, la disciplina, la riservatezza e l'Abadessa è quella che dà l'esempio a tutte. È più probabile che un cammello sia passato attraverso la cruna di un ago che l'Abadessa abbia mentito al vescovo.

In quanto ai nomi delle suore morte in quel periodo, silenzio assoluto, impenetrabile, un muro, manco a pensarlo di poter avere un elenco. Perché? Se si erano misticamente sacrificate per salvare una vita, quell'elenco non avrebbe dovuto figurare in bella mostra? Non era un altissimo titolo di merito cristiano?

E dato che i nomi non si sapevano, veniva ad essere praticamente impossibile aggirare l'ostacolo domandando informazioni agli uffici anagrafici dei paesi dai quali le suore provenivano.

Allora il mio amico giornalista si rivolse ai teatini di Roma.

Ed ebbe una fortuna insperata, riuscì a mettersi in contatto con un sacerdote quasi centenario che nel 1945 era stato addirittura il confessore delle suore di Palma.

Il sacerdote avvalorò in pieno la lettera di suor Enrichetta, non ebbe difficoltà ad ammettere il fatto dello scambio, precisò anzi di non ricordare il numero esatto delle suore che si sacrificarono, se nove o dieci. Ma non volle aggiungere altro, disse che poteva parlare della cosa solo con persone di grandissima fede, in grado di capire il senso vero di quel gesto. E anche con gente così eletta, l'avrebbe fatto a malincuore. Il mio amico, ritenendosi onestamente omo di scarsa fede, non osò insistere.

Cercherò di riempire, per quanto mi è possibile, alcuni vuoti.

Intanto, una prima domanda.

Suor Enrichetta Fanara a che titolo scrive nel 1956? Mi spiego meglio: nel 1945 si trovava già nel convento? Era abadessa o una semplice suora? Fu, insomma, una testimone oculare? O riferì per sentito dire?

E subito appresso una seconda domanda.

Perché aspettò esattamente undici anni, un mese e sette jorni per rivelare al vescovo quello che era successo nel convento?

Chi era suor Enrichetta possiamo indirettamente desumerlo da un passo tratto dall'Introduzione di

Gioacchino Lanza Tomasi alle *Opere* di Tomasi di Lampedusa. Racconta Lanza Tomasi che l'autore del *Gattopardo*:

«Il 4 settembre 1955 fece con Francesco Agnello la sua prima visita a Palma. Ne ritornò entusiasta. A Palma non aveva beni immobili significativi, non era il grande proprietario terriero del paese ed i Tomasi non lo erano più da quasi due secoli, ma era il discendente dei santi, un pezzo di quella terra che dalla temperie mistica della sua famiglia era stata resa differente da ogni altra fondazione feudale siciliana. Con queste premesse l'incontro fu felice. Osservò con delizia la sagrestia della Matrice e l'interno della chiesa, ed in particolare lo commosse l'accoglienza della comunità benedettina del S. S. Rosario».

Ne tornò felice e addirittura si commosse.

L'Abadessa suor Enrichetta aveva dunque saputo come accogliere il *principe* discendente dei Tomasi fondatori del monastero, del beato (non ancora santo) Giuseppe Maria e della Venerabile Maria Crocifissa della Concezione, cuore ancora palpitante e luce mistica perenne del convento. Tra l'altro i Fanara erano una famiglia molto nota e credo con qualche quarto di nobiltà. A suor Enrichetta, da laica, sarebbe infatti spettato il titolo di «Donna».

Era, asserisce chi la conobbe, persona di alto sentire e di grande nobiltà d'animo, ma nello stesso tempo era priva d'alterigia, mostrava una certa disinvoltura di fronte alle cose mondane, sorrideva spesso ed era alla mano con tutti.

Ma il futuro autore del *Gattopardo*, sempre nello stesso anno, fece una seconda visita, il 10 ottobre, al monastero del S. S. Rosario. Va premesso che Giuseppe Tomasi di Lampedusa era ancora, macari se solo sulle carte, «patrono» del monastero e in tale qualità il rispetto della clausura non vigeva né per lui né per il suo seguito. Così Andrea Vitello racconta quella visita:

«Ad aprire la porta della clausura era la badessa, donna Enrichetta M. Fanara, che ogni volta, nella sacrestia interna, non mancava di offrire quanto vuole la tradizione: un caffè (piuttosto lungo) e i "mandorlati", una specialità che le monache confezionano dal Seicento. Seguiva poi la visita all'interno. Faceva da guida la badessa, campanello alla mano, per annunziare alle consorelle di ritirarsi perché v'erano dei secolari in giro. In particolare vennero visitate: la cella della Venerabile, che dà su un giardino interno e conserva vari oggetti e reliquie, strumenti di penitenza e la "lettera del Demonio"; la tomba del Santo Duca, nella chiesa, sotto il pavimento della cappella di San Felice; e, a destra del presbiterio, l'urna di vetro che conserva le spoglie della Venerabile dentro una cassa rivestita di damasco rosso: sotto, sta il grosso sasso scagliato dal demonio.

«Con la sua grazia cordiale, la badessa trovava modo di rievocare alcuni episodi della vita della Venerabile, costantemente insidiata dal demonio [...] e non mancava di citare i recenti miracoli ottenuti grazie all'intercessione di lei. Si parlava anche del Duca-Santo, della sua vita di penitenza, fattasi più severa dopo essersi separato dalla consorte: a testimonianza, venne mostrata un'antica "disciplina" con la quale, ogni giorno, il primo Lampedusa si flagellava. [...] La badessa ricorda che il principe, la seconda volta, dopo aver sostato a lungo, e a testa china, dinanzi alla tomba della Venerabile, levando il capo, confessò con inconsueta ma evidente commozione: "Qui vivo ore di serenità"».

Nel 1945 suor Enrichetta era già Abadessa. Quindi fu testimone e partecipe del sacrificio delle consorelle. Aveva tutti i titoli per scrivere a Peruzzo.

Ma perché si decise a rivelare al vescovo quello che era accaduto nel convento?

Non sarebbe il caso di dirglielo, ma glielo diciamo per ubbidienza – scrive. La prima parte della frase è comprensibile. Un gesto così non dovrebbe essere noto al di fuori delle mura del convento, diffonderlo, farlo sapere agli altri, e soprattutto alla persona interessata, è una *diminutio*, una perdita del valore cristiano del gesto stesso.

È esattamente come per la carità, vantarsi di farla ne annulla il senso profondo. Nemmeno la mano sinistra deve sapere quello che fa la destra.

Ma che significa *per ubbidienza*?

L'ubbidienza, tralasciamo qui il significato laico della parola, so che è la sottomissione dei religiosi ai loro superiori e con essa s'intende anche l'esecuzione di un ordine o l'effettuazione di una penitenza imposta.

Non risulta da nessuna parte che il vescovo abbia domandato, nel 1956, ai religiosi della diocesi, che cosa avevano fatto in quei giorni del 1945 nei quali era in pericolo di vita.

Forse suor Enrichetta *ubbidì* non a una richiesta di Peruzzo ma alla regola morale di non tenere nulla di nascosto al proprio superiore. O forse quella lettera fu un'*ubbidienza* intesa come effettuazione di una penitenza autoimposta.

Comunque sia, perché aspettare ben undici anni?

Avrebbe potuto più logicamente rivelare tutto al vescovo l'anno avanti, cogliendo occasione del decennale dell'attentato. Ma non lo fece, lasciò passare altro tempo.

Ho una mia idea. Non sorretta da prove, si badi bene.

Il principe di Salina, racconta Tomasi di Lampedusa in un passo, già qui citato, del suo romanzo, *si edificava* a sentir raccontare dalla Abadessa i miracoli della Beata Corbera, ossia della Venerabile suor Maria Crocifissa della Concezione.

Il principe Tomasi di Lampedusa, le due volte che andò a visitare le suore di Palma, si commosse.

Ecco, io credo che, partito il principe di Lampedusa, l'Abadessa si sia domandata: perché non aggiungere alla lista dei titoli di merito anche il sacrificio delle dieci suore? E un bel giorno si decise a farlo, tanto quella rivelazione sarebbe restata un segreto tra lei e il vescovo.

Le visite di Tomasi di Lampedusa nel settembre e nell'ottobre 1955 furono, a mio avviso, la causa scatenante perché l'Abadessa si persuadesse, doppo averci pinsato tanticchia, a pigliare carta e penna.

5
Ipotesi

Qui di seguito cercherò di formulare via via alcune plausibili ipotesi sulla sequenza dei fatti, tenterò cioè di raccontare, con una certa verosimiglianza e con qualche ragionevole approssimazione per difetto, quello che avvenne nel monastero del S. S. Rosario dal momento dell'arrivo della notizia del ferimento del vescovo fino alla morte delle monache.

So benissimo di muovermi su di un terreno difficile e tradimentoso, sia perché, non essendo per niente informato su come si svolgeva la giornata nei conventi, e quali le norme, gli usi, le abitudini, le regole della vita comunitaria, alcune mie affermazioni possono essere forse abbastanza facilmente confutabili; sia perché, e questo di gran lunga è certamente il punto più delicato, non sono un uomo di fede religiosa e perciò, come disse il vecchio confessore al mio amico, non sarei in grado di capire profondamente le ragioni più intime e, come dire, fideistiche (la parola qui va intesa in senso positivo) di quel gesto estremo.

E infatti potrebbe essere così.

Ma non capire non è un fatto aprioristico, è semmai una conclusione che assai somiglia a una sconfitta.

Si arriva in genere alla conclusione di non avere capito solo dopo avere disperatamente cercato, tentato di capire col lume della ragione e anche, perché no, in particolari situazioni, limitando il potere della ragione, cioè mettendo in campo quel tanto di fede che ognuno di noi ha, anche se non in senso strettamente religioso, perché non c'è uomo che non abbia qualcosa in cui credere.

E il punto di partenza ideale di chi cerca di capire credo possa consistere soprattutto nel rispetto, questo sì aprioristico, delle ragioni dell'altro. Che potranno essere alla fine capite o no, condivise o no, ma questo è già un altro discorso.

La decisione: come, dove e quando

Il brano della lettera di suor Enrichetta riportato da De Gregorio comincia così: *Quando V. E. ricevette quella fucilata e stava in fin di vita...*

Facciamo un po' di calcoli indispensabili.

Impossibile che al convento la notizia del ferimento del vescovo possa essere arrivata nel corso della nottata tra il 9 e il 10 luglio.

A Santo Stefano Quisquina i medici e i carabinieri vennero a sapere quello che era successo al romitorio non prima delle nove di sera, quando il cuoco-cameriere arrivò in paese per avvertirli.

Il telegrafo, a quell'ora, era chiuso.

I telefoni in Sicilia a quei tempi erano veramente pochi, molte linee telefoniche, distrutte dalla guerra, non erano state ancora ripristinate. Rarissimi nelle abitazioni private, telefoni se ne trovavano negli uffici comunali e pubblici, negli scagni dei grossi commercianti, nei gabinetti medici e, naturalmente, nelle Stazioni dei Carabinieri e nei Commissariati di Polizia. A parte questi ultimi, gli uffici più o meno pubblici, gli scagni e i gabinetti medici di notte sono chiusi.

Uno dei primi a saperlo sarà stato don Luigi Abella, arciprete di Santo Stefano Quisquina (col quale il vescovo intratteneva rapporti personali) e sicuramente don Abella avrà subito informato il segretario di Peruzzo che era rimasto ad Agrigento, nell'Arcivescovado.

Sono macari persuaso che l'Arcivescovado non abbia diffuso subito la notizia, non c'era senso, ancora non si era in grado di avere una valutazione credibile della gravità delle ferite. *E la prudenza è sempre stata la parola d'ordine della Chiesa*. Penso perciò che il segretario, o chi per lui, abbia reso noto alle varie organizzazioni religiose della diocesi quello che era avvenuto solo nella mattina del 10.

Infatti, quando, alle 9 del mattino, il professor Borsellino ritenne che il ferito potesse affrontare il viaggio verso Agrigento, gli abitanti dei paesi attraversati dall'ambulanza erano già in strada e pregavano.

Ragionevolmente quindi si può supporre che la notizia arrivò al convento del S. S. Rosario, o meglio all'Abadessa, all'incirca alle 10 del mattino del giorno 10, portata dal confessore del convento o da qualche sacerdote di Palma di Montechiaro.

A quell'ora le preghiere mattutine da recitare in comune erano già finite da un pezzo e ogni suora era all'opera sua intenta. Perché a ogni suora era stato assegnato un lavoro da svolgere quotidianamente (l'orto, le galline, la pulizia del monastero, il giardino, la cucina, ecc.).

Non si è lontani dalla realtà ipotizzando che l'Abadessa abbia convocato immediatamente le suore per comunicare loro la sconvolgente notizia. Dove?

Non certo nel refettorio o in giardino, ma in un luogo acconcio. Dato che il convento era da sempre collegato con la Matrice e le suore vi avevano, per le loro preghiere, uno spazio riservato, ed escluso dalla vista degli altri fedeli, le avrà convocate lì.

Dopo aver detto loro quello che era avvenuto e

che Peruzzo era in pericolo di vita, le avrà invitate a pregare per la salvezza del loro vescovo.

Ma anche se la notizia dell'agguato al vescovo l'Abadessa non la diede direttamente in chiesa, ma in qualche altro luogo del convento, è certo che le suore, immediatamente dopo aver saputo la gravità della situazione, corsero in chiesa a pregare.

A chi rivolgevano quotidianamente le loro preghiere le suore?

Al Signore, certo, e alla Madonna, ma credo anche e soprattutto alla Venerabile suor Maria Crocifissa della Concezione, la vera madre spirituale, l'autentico modello di vita del monastero, alla quale erano stati riconosciuti tanti miracoli.

Non sarà stata una preghiera composta e severa come le suore erano solite fare. Tanto più che la Matrice si andava via via riempiendo di fedeli, soprattutto donne che piangevano, si battevano il petto, si scioglievano le crocchie in segno di dolore e di disperazione.

Dentro la Matrice il clima ci mise pochissimo a surriscaldarsi, ad arrivare al limite dell'isteria collettiva.

Ecco, dovette essere allora che una delle suore, di slancio, al culmine di quel ribollire magmatico di pianti, invocazioni, lamenti, preghiere, avanzò ad alta voce a Dio l'offerta della propria vita in cambio di quella del vescovo.

E subito a lei si dovettero unire in coro altre suore, in una sorta di contagiosa esaltazione mistica.

Ma chi sarà stato a rendere in qualche modo concretamente realizzabile quell'offerta? Chi sarà stato, insomma, a dire come dalle parole si poteva passare ai fatti? E stabilire le regole di questo passaggio?

Innanzi tutto, ho un'idea precisa del luogo dove avvenne, al termine delle preghiere e dei pianti, la successiva e decisiva riunione delle suore: nella cella e nel corridoio antistante la cella di suor Maria Crocifissa che sicuramente avrebbe saputo ispirare loro il modo migliore di portare a termine il proposito. Davanti alla sua tomba, come sarebbe stato più logico, non era possibile, dato che la tomba si trova nella chiesa che era gremita di fedeli.

E qui, di certo, le suore dovettero rivolgersi, per la regola dell'ubbidienza, all'autorità dell'Abadessa.

Suor Enrichetta consentì immediatamente? Cercò di dissuadere le consorelle? O si lasciò travolgere dalla tensione mistica che il luogo e le supliche delle suore avevano portato al diapason?

Questa comunità, scrive l'Abadessa.

Non dice monastero, non dice convento, la parola che sceglie, comunità, pare voglia sottintendere una decisione presa all'unanimità, della quale tutte le suore, quale che era la loro posizione gerarchica, sono state ugualmente responsabili.

Suor Enrichetta si propone insomma come prima inter pares, ma non c'è dubbio alcuno che senza il suo consenso la proposta sacrificale, da chiunque fatta e macari entusiasticamente accettata da tutte le suore presenti, non avrebbe potuto avere alcun seguito.

Il consenso

L'Abadessa ha un preciso ruolo che comporta responsabilità che le altre consorelle non hanno, responsabilità nei confronti del monastero ma soprattutto responsabilità nei confronti dei superiori e del mondo esterno.

Di certo, in altre occasioni, avrà domandato consigli e pareri al confessore e al padre spirituale, ma in quel momento ella capisce che al problema che le pongono le suore non può essere che lei, e lei sola, a dare la risposta.

I confessori, i padri spirituali sono degli avventizi, si presentano ad ore stabilite nel corso della giornata per svolgere il loro compito e poi vanno via. Inoltre possono cambiare da un anno all'altro, la «comunità» invece è saldamente composta solo da chi vive dentro le mura del convento e dall'interno di quelle mura non si allontana mai, condividendone persino l'aria che respira.

L'Abadessa avrà chiesto qualche minuto di riflessione.

Qualche minuto, non ore, perché troppa è l'urgenza della domanda che non ammette dilazioni.

Si ritira a pregare.

Ma prima ancora di ritirarsi a pregare, di una cosa ha assoluta certezza e cioè che, quale che sia la decisione ultima, nulla di ciò che in quel momento sta accadendo nel convento deve trapelare all'esterno.

Di sicuro non verrebbe compreso dai laici e forse nemmeno da tutti i religiosi che sul convento hanno qualche giurisdizione.

Nel caso che non desse il suo assenso, alcuni potrebbero interpretare il suo no come volontà di spegnere quello slancio mistico delle consorelle per continuare a tenere la comunità dentro una norma di normalità.

Insomma potrebbe essere accusata di non essere stata all'altezza della tensione sacrificale che animava le altre, di non essere stata in grado di mantenere il convento nel solco della sua grande tradizione.

E se avesse detto sì e il fatto fosse stato risaputo all'esterno, quanti, dopo, l'avrebbero decisamente accusata di aver lasciato che dentro quelle mura sacre si compisse un sacrilegio estremo come il suicidio di dieci suore? Quanti avrebbero capito che non si trattava di un suicidio, ma semmai di un sacrificio?

Donna dotata di una certa cultura, si sarà certamente ricordata che proprio il sacrificio umano, anche involontario, viene condannato duramente nel Vecchio Testamento.

Già, ma allora Sansone che sacrifica se stesso per uccidere i Filistei? Se quel pensiero le sarà venuto, l'Abadessa l'avrà scacciato come incongruo: Sansone si uccide per uccidere (lo stesso di come fanno quei kamikaze giapponesi, dei quali ha letto su qualche giornale, che si lanciano col proprio aereo contro le navi nemiche). Le sue consorelle non vogliono uccidere nessuno, anzi tutto l'opposto.

E le sarà tornato a mente che Sant'Agostino in proposito non usa mezzi termini: chi cerca il martirio e si lascia uccidere compie un duplice omicidio: di sé e del dono divino della vita.

Il comandamento che ordina di non uccidere non significa solo non uccidere gli altri, ma anche e soprattutto non uccidere se stessi.

Si è messa a pregare l'Abadessa.

Forse si sarà ricordata anche che nel Vangelo è detto che il buon pastore è quello capace di donare la sua vita per le pecorelle, ma che nello stesso Vangelo non si fa parola della possibilità che le buone pecorelle diano la loro vita per il pastore.

E nel corso della preghiera le si saranno affollati nella memoria tanti casi di martiri cristiani che offrirono la loro vita in cambio della salvezza di un correligionario già condannato a morte. Ma a chi si rivolsero per lo scambio? A un uomo che in quel momento aveva il potere decisionale d'accettare o no quello scambio.

A un uomo. Console, proconsole, imperatore, comunque un uomo. Ma qui la richiesta di scambio non era rivolta a un uomo, bensì a Dio. E se Dio, che ti ha dato il dono supremo della vita, accetta lo scambio, viene a dire che tutti gli accadimenti, il ferimento del vescovo e il sacrificio delle suore, rientrano in un disegno divino i cui fini sono incomprensibili per l'essere umano.

Tutto sta accadendo come stabilito.

In questo caso, Dio si riprenderebbe semplicemente il suo dono.

E parole come suicidio, martirio, sacrificio, non avrebbero più nessun senso. (E infatti, nella lettera che scriverà undici anni dopo al vescovo, suor Enrichetta si guarderà bene di usare questi termini, dirà molto semplicemente che le dieci suore *lasciarono la vita*. Dal suo punto di vista, avrebbe fatto meglio a scrivere: *restituirono la vita*).

La sua risposta, ora, non può che essere positiva.

La scelta

Credo che nelle suore sia stato talmente chiaro il concetto di scambio, dieci vite per una vita, che non sarà stata necessaria una lunga discussione per arrivare alla scelta delle sacrificande.

Si trattava di salvare una vita alla quale veniva attribuito, a torto o a ragione, un valore d'insostituibilità, d'eccezionalità, scambiandola con dieci vite comuni: il numero veniva così ad equilibrare la qualità.

Ma nell'atto stesso della proposta di scambio, una stessa parola, vita, veniva ad assumere due valenze diverse.

Su un piatto della bilancia c'era la vita del vescovo che significava però non solo la sua sopravvivenza corporale, ma la conservazione e il prolungamento dell'insieme del suo esistere, del suo essere stato un buon pastore con intelligenza, comprensione, severità, esperienza, amore cristiano, generosità. Insomma, faceva peso non solo la sopravvivenza di quel corpo, ma di quel corpo in quanto portatore di valori condivisi e in grado di saperli far condividere.

Sull'altro piatto invece la vita delle suore significava semplicemente e brutalmente il loro corpo vivente.

Non si potevano fare valutazioni diverse come il grado maggiore o minore di fervore mistico, di capacità d'amare il prossimo, di bontà, d'altruismo, di fede: sarebbe stato assai difficile trovare un metodo di quantificazione e arrivare a una scelta definitiva.

Ai suoi tempi invece suor Maria Crocifissa della Concezione, pur essendo una semplice suora, stilava liste di merito, faceva delle graduatorie sullo stato spirituale di ogni consorella che poi consegnava al confessore per i necessari interventi. Ma nessuna godeva più di quell'altissima capacità di penetrazione nelle anime.

Quindi, solo il corpo.

Improvvisamente, quel corpo che persino le vesti monacali negavano, e le pratiche del monastero mortificavano, riconquistava tutto il suo valore. Soprattutto il corpo giovane e sano.

Quel corpo giovane e sano che suor Maria della Concezione stimava al contrario essere un evidente segno di un'indifferenza divina. La benevolenza, l'attenzione di Dio invece si manifestava con le malattie che faceva venire al corpo. Un corpo malato era da rispettare perché era stato toccato dall'amore divino.

Ora i due piatti della bilancia potevano fermarsi in perfetto equilibrio perché quei dieci corpi da scambiare contenevano in sé un grande valore aggiunto, quello della giovinezza. O meglio, il valore potenziale degli anni futuri che la giovinezza si autonegava col lasciarsi morire.

Per questo le suore anziane, di necessità, dovettero essere escluse.

Quindi bastò mettere in fila i dati anagrafici per scegliere le dieci più giovani.

Appena fatta la lista, le consorelle si felicitarono con le prescelte, le abbracciarono (o forse no, forse il contatto fisico non era permesso), promisero di confortarle nell'agonia con le loro preghiere.

I nomi delle dieci suore sacrificande erano:
suor Maria Perpetua,
suor Maria Maura,
suor Maria Francesca,
suor Maria Seppellita,
suor Maria Placida,
suor Maria Lanceata,
suor Maria Caterina,
suor Maria Serafica,
suor Maria Scolastica,
suor Maria Maddalena.

Lo so perfettamente che questi nomi non corrispondono a quelli delle dieci suore che si sacrificarono perché il monastero quei nomi li ha voluti tenere rigorosamente segreti.

Ma non sono neppure inventati da me.

Si tratta dei nomi di dieci suore che fecero parte del monastero ai tempi di suor Maria Crocifissa della Concezione, alcuni, anzi, sono i nomi assunti da religiose dalle sorelle di Isabella Tomasi.

In definitiva, il gesto delle dieci suore salda perfettamente in spirito, senza alcuna soluzione di continuità, anzi con una circolarità assoluta, il 1945 al 1659, anno di fondazione del monastero.

Come morire

Penso che il problema del tempo si sia posto subito.

Tanto più rapida sarebbe stata la morte delle suore, cioè la concreta, tangibile offerta di scambio consistente nei dieci cadaveri, tanto più rapida sarebbe stata la guarigione del vescovo.

Quindi: come morire con una certa rapidità?

Credo che una morte cruenta sia stata naturaliter esclusa, perciò non sia stata nemmeno posta in discussione. Non perché le suore non avessero dimestichezza col sangue, anzi. Si ricordi che tra le pratiche ancora seicentesche dei conventi femminili c'era quella d'infliggersi ferite leggere e lasciarle sanguinare a lungo, spesso fingendo che quelle ferite fossero opera divina.

E macari una morte non cruenta come il veleno o l'impiccagione era da escludere completamente.

Buttarsi da un balcone, svenarsi, bere veleno, impiccarsi, erano tutti modi di morte che troppo pericolosamente s'avvicinavano ai modi scelti dai disperati che volevano suicidarsi.

Non si trattava di una questione formale, ma di sostanza, perché la loro non era disperazione, ma l'opposto di essa: l'incommensurabile felicità del sacrificio di sé.

Quindi l'unico modo praticabile, l'unico possibile, era quello di lasciare la vita negandole l'indispensabile alimentazione.

E a questo punto sorge una domanda. Cosa e quanto mangiavano nel monastero?

Tre volte la settimana, cioè la domenica, la feria terza e quinta, si mangi carne; et in questi giorni oltre la minestra si dia una porzione di carne per antipasto, et un'altra di carne bollita. La feria seconda e quarta si cibino di latticini, dandosi per ciascuno una minestra, un ovo, et un'altra vivanda di latticini o cosa simile. La sera, tanto ne' giorni ne' quali si mangia carne, quanto di quelli in cui si mangia latticini, si dia a ciascuna sorella un ovo et una minestrina o cosa simile; eccettuate le inferme, le quali possono mangiare carne anche la sera: e oltre alle sopradette cose, mattina e sera, ogni giorno si dia a ciascuna una fetta di cacio o di caciocavallo con frutti secchi e freschi, et altre herbe. Nella feria sesta e

*il sabato si digiuni: e diasi in questi giorni una mi-
nestra d'herbe e di legumi, e due altre vivande di ma-
gro, un'insalata o simile. Nella collatione della sera
si dia un'insalatina cotta o cruda, et un'altra coset-
ta di frutti freschi secondo i tempi: ma nella feria sesta siano proibite nel refettorio le cose dolci, et anche i frutti freschi...*

Questo è scritto nelle tardoseicentesche *Costituzioni* del monastero. E da allora non credo siano intervenuti rilevanti cambiamenti nel menu
quotidiano e settimanale.

Ad ogni modo, come si vede, non era un cibarsi
al limite della sopravvivenza e neppure oltre il
limite della buona sanità corporea. Somiglia tanto a una ragionevole dieta per dormire bene la
notte e non avere il cervello appesantito. Insomma, le suore avevano un buono e sano rap-
porto col cibo.

E c'è da notare ancora che i digiuni totali, as-
soluti, non erano contemplati, infatti veniva data
la possibilità durante il digiuno di mangiare latticini e la sera di fare una colazione che non ecce-
desse però il peso di sei once. Per punizione, a una
suora poteva essere ordinato di saltare un pasto.
Nel qual caso la suora doveva lo stesso recarsi in
refettorio, stendervisi in mezzo affacciabocconi e
così restare fino a quando le consorelle, finito il pa-

sto, camminavano sopra il suo corpo per uscire dal refettorio. Quindi il modo prescelto sarà stato certamente il digiuno totale «fino a che morte non sopraggiunga».

E soprattutto, niente acqua, nemmeno una goccia, a bagnare le labbra riarse.

Occorre tener sempre presente che si trattava di dieci corpi giovani che, pur senza cibo, avrebbero impiegato troppo tempo a morire. Invece il divieto assoluto di bere avrebbe indubbiamente accelerato, e di molto, la corsa verso la fine.

Stabilito il modo, ognuna delle prescelte si ritirò nella propria cella, certamente seguita da una consorella che l'avrebbe continuamente assistita (e anche sorvegliata) e, dopo avere forse dette le ultime volontà, si distese sul letto pregando.

La certezza che il loro sacrifizio stava andando a buon fine le moriture lo seppero già il giorno 13, o da comunicazioni dirette dal Vescovado o dal «Giornale di Sicilia», e cioè che le condizioni di salute di Peruzzo erano sensibilmente migliorate.

Questa notizia, data dalle consorelle, avrà aumentato ulteriormente la volontà di resistere alla drammatica richiesta di cibo e d'acqua del corpo delle dieci suore.

Il giorno 15 il vescovo viene dichiarato fuori pericolo di vita.

A quella data le suore erano tutte morte?

Non credo. Anzi penso che a quella data non ne fosse ancora morta nemmeno una. Forse però erano già entrate in agonia.

Quanto può resistere un organismo giovane alla totale mancanza di cibo e d'acqua? E quanto può influire la volontà di morire nell'indebolire quella resistenza?

Ma, quale che fosse la situazione nelle dieci celle al momento della notizia che il vescovo era fuori pericolo, non si poteva fare assolutamente nulla. Non tanto, penso, per le condizioni fisiche delle suore oramai giunte a un punto d'irreversibilità, di non ritorno, quanto piuttosto perché il patto contemplava dieci giovani vite da spegnere e dieci giovani vite dovevano essere comunque spente.

Che il vescovo fosse stato dichiarato fuori pericolo non significava l'interruzione del patto, ma semmai che il patto era stato accettato e che quindi doveva ad ogni costo essere rispettato fino in fondo.

Sono convinto che della morte delle suore nessun estraneo, al di fuori delle mura del convento, in quei giorni ne sia venuto a conoscenza. I cadaveri delle suore sono stati interrati, in fosse scavate dalle consorelle, nel piccolo camposanto del monastero, avvolti in un lenzuolo. Ordinare dieci casse da morto all'agenzia funebre del paese avrebbe destato sospetti tra gli abitanti di Palma di Montechiaro.

E le famiglie delle suore quando e come furono avvertite della morte delle loro congiunte? Certamente lo furono.

Ma credo che l'Abadessa abbia provveduto a comunicare i decessi seguendo particolari criteri di scaglionamento geografico e lasciando trascorrere un certo lasso di tempo tra una comunicazione e l'altra.

Ho ancora una domanda da farmi a proposito di queste morti.

Mi viene suggerita dall'incertezza del vecchio confessore sul numero esatto delle suore che si sacrificarono. Non ricordava più se erano state dieci o nove.

Un'incertezza simile non può essere causata dall'affievolirsi del ricordo. Non sono ricordi che possono sbiadire.

M'è capitato di conoscere in gioventù un sacerdote che era addetto al carcere di Agrigento e che aveva dovuto assistere, nel 1943, due condannati a morte per fucilazione. Lo incontrai nuovamente trent'anni dopo, mi confessò di non riuscire a dimenticare nemmeno il più piccolo dettaglio di quelle esecuzioni.

E allora come si spiega quell'incertezza?

Posso tentare di rispondere con altre domande.

Nessuna delle dieci suore ebbe un ripensamento?

Nessuna suora implorò, in extremis, di essere salvata?

E in questo caso, come si comportarono le consorelle?

Si tapparono le orecchie per non sentire quel flebile implorare?

Uscirono dalle celle chiudendosi la porta alle spalle?

O tentarono un salvataggio oramai impossibile?

Credo che l'incertezza del vecchio confessore possa nascere da qualcosa di imprevisto che accadde in quelle giornate tra il 10 e il 17, massimo 18, luglio 1945.

Ma non lo sapremo mai.

Proprio mentre scrivo queste righe, negli ultimi giorni del mese di settembre 2006, in Italia è cominciato un dibattito, politico e no, sul diritto all'eutanasia, sul suicidio assistito, sul testamento biologico. Alcune cose che sono state dette valgono la pena di essere riportate perché in qualche modo possono ricollegarsi ad alcune perplessità da me espresse sul sacrificio delle suore e perché esprimono il pensiero della Chiesa (che del resto non si è mai modificato).

Il cardinale Javier Lozano Barragán, «ministro della salute» vaticano, ha chiaramente ribadito tre punti fondamentali per il credente:

La vita non è negoziabile.

Il corpo è inalienabile perché, dato da Dio, continua ad appartenere a Dio (l'uomo insomma ce l'ha in comodato d'affitto).

La vita, essendo un dono di Dio, va sempre e comunque rispettata e salvaguardata.

Monsignor Vincenzo Paglia, vescovo di Terni e presidente della Commissione dei vescovi per l'ecumenismo e il dialogo tra le religioni, ammette una sola deroga a quanto dichiarato dal cardinale Barragán:

«L'unica "finestra" nella quale l'amore per gli altri supera quello per se stesso è nella figura del credente che dà la propria vita per salvare quella degli altri. Mai viceversa».

Monsignor Paglia, col suo «mai viceversa», dati i tempi che corrono, prudentemente vuole sottolineare come il vero cristiano, al contrario di quanto fanno i credenti di un'altra religione, non può mai sacrificare se stesso per togliere la vita agli altri.

Nella «finestra» aperta da monsignor Paglia, dalla mia memoria si affaccia una sola persona. Si chiamava Salvo D'Acquisto ed era un vicebrigadiere dei carabinieri di ventitré anni quando, durante l'occupazione tedesca del 1943, nel paesino dei dintorni di Roma nel quale prestava servizio, i tedeschi condannarono a morte ventidue ostaggi innocenti come rappresaglia per un sabotaggio. Allora D'Acquisto, che col sabotaggio non c'entrava assolutamente niente, si dichiarò invece unico responsabile e si fece fucilare al posto degli ostaggi.

Non ricordo se D'Acquisto era credente o no, ma penso lo fosse. Si offrì ai fucili del plotone d'esecuzione per uno slancio sovrumano di carità cristiana e di amore per il prossimo oppure perché ritenne di non poter agire diversamente per la divisa che indossava?

E comunque Salvo D'Acquisto consegnò agli altri, al plotone d'esecuzione, il compito di togliergli la vita, non se la tolse da sé. Come padre Massimiliano Kolbe, poi fatto santo, che nel 1941, nel campo di concentramento di Auschwitz, si fece portare nel bunker della morte al posto di un padre di famiglia. Anche in questo caso non fu lui a togliersi la vita con le proprie mani. Il problema consiste tutto in questa semplice differenza che, a mio parere, non è da poco.

Il 6 agosto di quello stesso 1945 esplodeva la bomba atomica su Hiroshima. Da quel massacro sarebbe nato un mondo nuovo, pieno di incognite e di paure, ma con grandi possibilità di progresso per la storia dell'uomo. Pochi giorni prima, a Palma di

Montechiaro, la Storia aveva fatto un gran balzo indietro nel tempo.

Non riesco a tirare nessuna conclusione da questa vicenda, né per me né per i miei lettori. O forse le conclusioni mi porterebbero inevitabilmente lontano, tanto indietro nel tempo, quanto in avanti, fino alla tragica attualità dei giorni nostri. Sarebbe il caso?

Bibliografia

Due libri mi sono stati assolutamente indispensabili: *L'attentato contro il Vescovo dei contadini* (Canicattì 1999) di Enzo Di Natali e *La Santa dei Tomasi* (Torino 1989) di Sara Cabibbo e Marilena Modica. Sara Cabibbo, che qui ringrazio, mi ha fornito anche materiali inediti ed editi. Tra questi ultimi, *Fratello/sorella* della stessa Cabibbo, in «Quaderni storici», n. 83.

Mi sono stati utili inoltre:

AA. VV., *I luoghi di Tomasi*, Palermo 1996.

G. Bonina, *Era un masnadiero il capostipite del Gattopardo*, in «Tuttolibri», 16 aprile 2005.

D. De Gregorio, *Mons. G. B. Peruzzo*, Trapani 1971.

M. Ganci, *La Sicilia contemporanea*, Siracusa 1986.

S. Indelicato, *Santa Rosalia e l'eremo della Quisquina*, in «Kouros», 2005, n. 4 (ma sull'argomento ho consultato anche alcuni siti internet).

C. Messina, *La Quisquina*, Palermo 1973.

G. Reina, *L'Eremo della Quisquina*, S. Stefano Quisquina 1994.

A. Vitello, *Giuseppe Tomasi di Lampedusa*, Palermo 1987.

Indice

Le pecore e il pastore

Questo volume è stato stampato
su carta Palatina
delle Cartiere Miliani di Fabriano
nel mese di marzo 2007
presso la Leva Arti Grafiche s.p.a. - Sesto S. Giovanni (MI)
e confezionato
presso I.G.F. s.r.l. - Aldeno (TN)

La memoria